Jacky GIRARDET
Jean-Marie CRIDLIG

PAN RAMA 2
DE LA LANGUE FRANÇAISE

Cahier d'exercices

CLE
INTERNATIONAL

Sommaire

© CLE International, Paris 1996 – ISBN 2 09 033 723 0

© CLE International/SEJER - 2004

Introduction

Ce cahier fait partie de l'ensemble PANORAMA (niveau II), méthode de français pour grands adolescents et adultes ayant déjà suivi un enseignement de 120 heures environ.

Pour chacune des leçons du livre de l'élève, il propose une série d'exercices complémentaires dans les domaines suivants:

- Rubrique **Vocabulaire**: réemploi du lexique introduit dans le livre et enrichissement.

- Rubrique **Grammaire**: exercices de systématisation et de renforcement des points de grammaire développés dans le livre; exercices d'apprentissage sur des points de grammaire qui n'ont été abordés que ponctuellement dans le livre.

- Rubrique **Écrits et écritures**: familiarisation avec les différents types d'écrits; entraînement à la compréhension des textes; activités guidées d'expression; production des textes correspondant à des situations formelles ou à des besoins expressifs courants.

Cette rubrique prépare par ailleurs aux épreuves écrites de l'unité A2 du DELF (Expression des idées et des sentiments).

Chaque unité est suivie de quelques pages où la découverte du lexique se fait d'une manière récréative.

La quasi totalité des exercices proposés dans ce cahier peut se faire en autonomie mais certaines activités (notamment dans les pages Écrits et écritures) peuvent également se prêter à une exploitation en classe.

VOCABULAIRE

1 Biographie

Remettez dans l'ordre ces douze étapes de la vie d'une personne.

a. Il passe le bac.

b. Il trouve un emploi permanent.

c. Il vient de naître.

d. Il fait un stage en entreprise.

e. Il va à l'école primaire.

f. Il prend sa retraite.

g. Il fait des études supérieures.

h. Il entre dans l'adolescence.

i. Il devient directeur de son entreprise.

j. Il meurt.

k. Il fait son service militaire.

l. Il joue avec ses copains de l'école maternelle.

2 Les lieux de la ville

Observez ces enseignes et ces panneaux.

a. De quel lieu s'agit-il ?

b. Trouvez dans la liste tout ce qu'on peut faire dans ces lieux.

a. Acheter des médicaments.

b. Retirer de l'argent.

c. Demander des informations sur la ville.

d. Faire garder ses enfants.

e. Emprunter un livre.

f. Acheter des timbres.

g. Acheter des cigarettes.

h. Voir une collection d'œuvres d'art.

i. Garer sa voiture.

j. Se marier.

k. Trouver l'adresse d'un hôtel.

l. Demander une fiche d'état civil.

m. Envoyer un paquet.

n. Rencontrer un conseiller municipal.

o. Trouver un plan de la ville.

3 Opinions sur l'art

Chaque année a lieu à Paris une grande exposition qui attire de nombreux visiteurs. En 1993, c'était l'exposition de la collection de peinture du milliardaire américain Barnes (1,5 million de visiteurs). En 1995, l'œuvre de Paul Cézanne.

*Exposition Cézanne :
l'opinion des visiteurs*

a. **Les œuvres d'art.**

Lisez ces quatre textes. Relevez tous les mots qui servent à nommer les œuvres d'art. Classez ces mots. Complétez la liste avec d'autres mots que vous connaissez.

Peintures	Dessins	Sculptures	Autres
...	...	...	...
...	...	...	...

b. **Dans chaque texte, relevez les informations qui permettent de compléter le tableau.**

	Texte 1
Opinions positives	Présence de tableaux très connus (incontournables). ...
Vocabulaire de l'expression de l'opinion positive	Revoir avec plaisir. ...
Opinions négatives	Une seule version des *Joueurs de cartes*. Pas de découvertes extraordinaires. ...
Vocabulaire de l'expression de l'opinion négative	être frustré(e). Beaucoup de bruit pour rien d'extraordinaire. ...

c. **Trouvez cinq mots qui peuvent caractériser le tableau de Cézanne, *Les Joueurs de cartes*.**

1.

- **Brigitte Devos**
- **49 ans**
- **Directrice de communication**
- **La Garenne-Colombes**

« Je connaissais beaucoup de tableaux exposés. J'ai revu avec plaisir les incontournables natures mortes et *La Montagne Sainte-Victoire*. J'ai été un peu frustrée de ne voir qu'une seule version des *Joueurs de cartes*. Il y a beaucoup de bruit autour de cette expo, mais on n'y fait pas de découvertes extraordinaires. »

- **Nicole Courcel**
- **60 ans**
- **Comédienne**
- **Paris XVIᵉ**

« J'ai beaucoup apprécié cette exposition. Malgré quelques problèmes d'éclairage sur les toiles sous verre, on ne souffre

3.

2.

- **Josip Beros**
- **58 ans**
- **Architecte**
- **Munich (Allemagne)**

« Je n'ai jamais visité aussi facilement une exposition à Paris. Mon fils qui habite en France m'avait réservé les billets. C'est une très bonne formule. Je n'avais pas pu voir l'expo Barnes tellement l'attente était longue. Là, j'ai beaucoup apprécié d'avoir de la place et du temps pour admirer les toiles. J'ai été surpris par le nombre de peintures et surtout d'esquisses présentées. »

pas trop des contre-jours. Les salles sont belles. J'ai été intéressée parce que j'ai découvert des pièces que je ne connaissais pas. Ainsi, j'ai apprécié les dessins. Le système de réservation est très pratique : j'ai horreur de faire la queue. »

4.
- **Julie Andrieu**
- **21 ans**
- **Agent immobilier**
- **Paris VIᵉ**

« Je ne suis pas touchée personnellement par la peinture de Cézanne, trop classique pour moi. Mais c'est une impression subjective et aucunement un jugement de valeur sur cette exposition que je trouve parfaite. Il y a peut-être un peu trop de dessins. J'ai réservé à la FNAC il y a quelques jours, et je suis entrée en un quart d'heure. Je renouvellerai l'expérience. »

Aujourd'hui, 2 octobre 1995.

Les Joueurs de cartes, 1893-1896, collection particulière.

GRAMMAIRE

4 Révision des conjugaisons des verbes au présent

Voici 30 verbes irréguliers très fréquents. Mettez-les à la forme du présent qui convient.
Révisez les autres formes du présent de ces verbes.

Conversations dans une soirée parisienne.

– Ah, vous (*connaître*) Margot et Vincent ? Qu'est-ce qu'ils (*devenir*) ?
– Ils (*être*) mariés. Ils (*avoir*) deux enfants.
– Vous les (*voir*) souvent ?
– Oui, ils (*venir*) souvent dîner chez nous. Nous (*aller*) faire du ski ensemble. Et Vincent et moi, nous (*courir*) tous les samedis au stade pour nous entraîner…

– Alors, monsieur Delvaux, toujours à Vernon ? Vous ne (*s'ennuyer*) pas trop là-bas ?
– Non. … Au fait, vous (*savoir*) que j'(*apprendre*) le japonais ?
– Ah, vous (*faire*) du japonais ? Et pourquoi ? Vous (*partir*) en poste au Japon ?
– Non, mais mon fils est passionné par les mangas.
– Qu'est-ce que vous (*dire*) ? Les…
– Mangas. Les bandes dessinées japonaises.
– Votre fils (*comprendre*) le japonais ?
– Non, mais moi je (*vouloir*) l'apprendre.
– Et ça vous (*plaire*) ?
– Beaucoup. J'étudie depuis six mois. Et maintenant, mon fils et moi nous (*lire*) les mangas ensemble…

– Tiens, Florence Blanc n'est pas là ?
– Non. Son mari (*écrire*) un roman. Il travaille comme un fou. Il (*dormir*) quatre heures par nuit. Depuis deux mois, les Blanc ne (*sortir*) plus. Ils ne (*répondre*) plus aux invitations.
– Et il le (*finir*) quand, ce roman ?
– Mystère. Mais ce n'est pas pour bientôt. Il (*mettre*) trois jours pour écrire une page…

– Ça y est, les Girard (*vendre*) leur appartement !
– Vous (*croire*) ?
– J'en suis sûre. Ils ont des problèmes d'argent. Ils ne (*pouvoir*) plus payer l'école privée de leurs enfants… Ils (*prendre*) le métro… Sylviane (*devoir*) faire des travaux de dactylographie et Cédric (*attendre*) un emploi chez Cabanel…
– Et il (*valoir*) combien cet appartement ?
– Aucune idée… Vous ne (*boire*) pas un peu plus de champagne ?

5 La chronologie des événements

Le directeur d'un musée d'art contemporain présente le bilan des activités du musée et ses projets.
Voici ses notes. Rédigez la suite de sa présentation.
Utilisez le passé composé, le passé récent, le présent progressif, le futur proche et le futur.

1er trimestre de l'année	– Présentation d'une exposition sur le surréalisme. – Invitation de peintres et de poètes surréalistes. – Organisation de 20 conférences.
Fin avril	– Ouverture de deux nouvelles salles. – Exposition de la collection du musée.
Début mai	– Préparation d'une exposition sur la bande dessinée. – Négociation avec d'autres musées pour préparer les manifestations de l'été.
10 mai	– Ouverture au public de l'exposition sur la BD.
Été	– Présentation d'une grande exposition Picasso (ouverture le 10 juillet – présence du ministre de la Culture).

LE DIRECTEUR DU MUSÉE : « Nous sommes aujourd'hui le 4 mai. Nous sommes en train de… Nous… J'ai… On a… »

6 Passé composé et imparfait

a. Lisez cet extrait du journal de voyage de Charlotte.

> 5 juillet : visite de la ville de Saint-Malo (Bretagne).
>
> Promenade dans les rues de la vieille ville. Beau temps. Beaucoup de touristes.
> C'est jour de marché. Rues très animées.
>
> Déjeuner dans un petit restaurant typique (fruits de mer et crêpes). Excellent !
>
> Après-midi : île du Grand-Bé (à pied, à marée basse). Vu le tombeau de l'écrivain
> Chateaubriand. Beaucoup de vent. Site très romantique. Retour à Saint-Malo.
> Pas possible de voir le musée (fermé pour restauration).

b. Classez les informations du journal de Charlotte dans le tableau suivant :

Actions et événements principaux	Commentaire des actions et des événements principaux. Circonstances. Impressions.
Visite de la ville…	

c. Charlotte raconte sa journée du 5 juillet. Rédigez son récit.

→ « Le 5 juillet, j'ai visité… »

ÉCRITS ET ÉCRITURES

7 Curriculum vitae

Lisez le curriculum vitae suivant.

1   DUPARC Carla
     (née PIETRI)
     Née le 22 août 1965 à BOLOGNE (Italie).
     Mariée, 2 enfants.
5   Française
     9, rue Delambre, PARIS 75014.

ÉTUDES

     1987 : Licence d'anglais (Paris III, Sorbonne Nouvelle)
     1989 : DEA de lettres modernes (Paris III, Sorbonne Nouvelle)
10   1991 : Diplôme d'interprète de conférence (École supérieure
            d'interprètes et de traducteurs)

LANGUES PARLÉES

     Italien (langue maternelle) – Français – Anglais
     Notions d'espagnol et de portugais

15   ### EXPÉRIENCE PROFESSIONNELLE

     Depuis 1994 : activité libérale.
     – Interprétation simultanée pour les conférences organisées par
       l'UNESCO.
     – Traductrice pour diverses sociétés (CGE – THOMSON – etc.).
20   1993 : stagiaire au journal *Le Monde* (traductrice – documentaliste,
            lecture de la presse italienne).
     1992 : stagiaire à l'Agence France-Presse.

COMPÉTENCES PARTICULIÈRES

     – Sujets d'ordre politique et économique.
25   – Matériel utilisé : Macintosh (Word V).

a. À quelle ligne de ce curriculum vitae peut-on trouver les informations suivantes :

– le *domicile* de Carla Duparc
– son *nom de jeune fille*
– son *lieu de naissance*
– le nom de ses *employeurs*

– sa *nationalité*
– sa *situation de famille*
– les *examens* qu'elle a passés
– sa *carrière*

b. Les phrases suivantes sont-elles vraies ou fausses ?

– Carla Duparc a le baccalauréat ou une équivalence du bac.
– Carla parle très bien français.
– Elle connaît parfaitement le portugais.
– Quand elle travaillait à l'Agence France-Presse,
  elle avait un contrat de travail à durée déterminée.
– Depuis 1994, elle est salariée dans une entreprise.
– Carla est une interprète spécialisée.

c. **Carla Duparc parle de ses études. Complétez avec un participe passé des verbes de la liste.**

Pendant l'année scolaire 1985-86, j'ai … une licence d'anglais et une licence de lettres modernes à l'université Paris III.

En juin 1986, j'ai … avec succès ma licence de lettres mais j'ai … à ma licence d'anglais. J'ai recommencé mes études d'anglais en 1986-87, et cette fois j'ai …

De 1989 à 1991, j'ai … les cours de l'École supérieure d'interprètes. J'ai … le diplôme d'interprète de conférence en juin 1991.

■ échouer
■ obtenir
■ passer
■ préparer
■ réussir
■ suivre

d. **Le directeur de l'Agence France-Presse parle de Carla Duparc.**

Lisez le tableau ci-contre.
Utilisez les constructions du tableau pour continuer sa présentation (5 lignes).

→ « Ah, Carla Duparc ! C'est une jeune femme que je connais bien… »

e. **Rédigez votre curriculum vitae ou le curriculum vitae d'une personne imaginaire. Adoptez la présentation du CV de Carla Duparc.**

....

C'est… / Il (elle) est… – Ce sont… / Ils (elles) sont…

• **Règle générale**
→ **C'est + groupe du nom**
C'est Jacques Dupont – C'est une Allemande – C'est un nouvel ordinateur.
→ **Il (elle) est + adjectif**
Elle est sympathique.

• **Cas particuliers**
a. **Les noms de nationalité, de professions ou les noms présentant une personne qui fait une action peuvent être adjectifs ou noms :**
C'est un bon professeur – Il est bon professeur.

b. **Quand on considère la personne ou la chose caractérisée comme quelque chose de général :**
Un Français du Sud, c'est souvent bavard.
J'aime le rôti de bœuf. C'est excellent.
NB : Quand le nom est suivi d'une proposition relative on utilise toujours *c'est*.
C'est Jacques Dupont/C'est un Français qui travaille avec moi.

....

VOCABULAIRE

1 Description physique des personnes

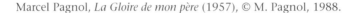

a. Comparez la description littéraire des personnages et la photo des acteurs qui ont interprété ces personnages au cinéma.
Relevez les ressemblances et les différences.

- Le père de Marcel Pagnol, dans le roman autobiographique de Pagnol : *La Gloire de mon père.*

> Mon père, qui s'appelait Joseph, était alors un jeune homme brun, de taille médiocre, sans être petit. Il avait un nez assez important, mais parfaitement droit, et fort heureusement raccourci aux deux bouts par sa moustache et ses lunettes, dont les verres ovales étaient cerclés d'un mince fil d'acier. Sa voix était grave et plaisante et ses cheveux, d'un noir bleuté, ondulaient naturellement les jours de pluie.

Marcel Pagnol, *La Gloire de mon père* (1957), © M. Pagnol, 1988.

Philippe Caubère dans
La Gloire de mon père (film
d'Yves Robert).

- Lisbeth (dite « Bette ») dans un roman de Balzac.

> Lisbeth Fischer, de cinq ans moins âgée que Mme Hulot, et néanmoins fille de l'aîné des Fischer, était loin d'être belle comme sa cousine (…).
> Paysanne des Vosges, dans toute l'extension du mot, maigre, brune, les cheveux d'un noir luisant, les sourcils épais et réunis par un bouquet, les bras longs et forts, les pieds épais, quelques verrues dans sa face longue et simiesque*, tel est le portrait concis de cette vierge.

Balzac, *La Cousine Bette*, 1847.

Alice Sapritch dans
La Cousine Bette (téléfilm).

* Simiesque : qui ressemble à un singe.

b. Voici une célèbre actrice de cinéma.
Trouvez ou imaginez le personnage de roman qu'elle pourrait interpréter.

- âge
- aspect du visage
- aspect du corps
- caractère et personnalité

→ « Juliette Savari était une jeune femme… »

Juliette Binoche, jeune actrice
devenue très célèbre à partir de 1985.

2 Caractère et personnalité

a. Voici deux listes d'adjectifs qui expriment des caractéristiques psychologiques.
Trouvez dans la liste B le contraire des adjectifs de la liste A.

Ⓐ

autoritaire	bon vivant
calme	conformiste
créatif	cultivé
curieux	économe
entreprenant	organisé
poli	sociable

Ⓑ

agressif	anticonformiste
dépensier	désorganisé
froid	impoli
ignorant	indifférent
libéral	passif
sans imagination	triste

b. En utilisant les adjectifs ci-dessus ainsi que d'autres que vous connaissez,
caractérisez…

- **Le comportement professionnel…**
  - d'un chef d'entreprise
  - d'un artiste
  - d'un ingénieur chargé d'un projet
- **Le comportement d'une personne dans ses relations sociales et amicales.**

- **Le comportement en famille, à la maison**
  - d'un père ou d'une mère de famille
  - d'un enfant
- **Le comportement d'une personne face à la littérature, à l'art, etc.**

  Donnez les féminins de ces adjectifs.

c. Caractérisez le comportement des personnes décrites dans cette lettre :

Florence habite à Paris dans un grand appartement.
Elle a accepté de loger les cousins de son amie Nathalie qui cherchent
un appartement. Au bout de quelques semaines, elle écrit à Nathalie.

Paris, le 25 avril

Chère Nathalie,
Tes cousins (Bernard, Flora et leurs deux enfants)
devaient partir le 15. Ils sont toujours là. Ils ne m'ont
même pas demandé s'ils pouvaient rester. → impolis
Quelle famille bizarre ! C'est vrai, ils ont quelques
qualités. Ils aiment bavarder, faire la fête, bien → . . . .
manger et bien boire. Bernard a même fait quelques → . . . .
réparations dans l'appartement.
Mais leurs chambres ne sont jamais rangées. Leurs → . . . .
lits ne sont jamais faits.
Les enfants sont libres de faire tout ce qu'ils veulent. → . . . .
Bernard n'arrête pas de se mettre en colère et de
tout critiquer. → . . . .
Flora, elle, passe son temps à faire des achats. Tous
les jours, elle revient avec une nouvelle robe ou un
nouveau bijou. Jamais elle ne m'a aidée à faire la → . . . .
cuisine ou le ménage. Quand elle est à la maison, elle
reste assise devant la télé. → . . . .
Et quand elle parle, c'est insupportable. Elle se croit
toujours la plus intelligente, la plus cultivée. Elle dit → . . . .
qu'elle sait tout faire.

GRAMMAIRE

3 Les pronoms remplaçant des personnes

Complétez cette lettre avec des pronoms.

> Chère Mathilde,
>
> Je **t'**écris pour ... annoncer une grande nouvelle. Le mois dernier, dans une soirée chez Catherine et Michel, j'ai rencontré un garçon très sympathique. Il s'appelle Patrick ; il a 30 ans et il n'habite pas loin de chez ..., dans le 15e. Depuis notre rencontre, nous avons eu souvent l'occasion de ... voir. Il ... invite au restaurant et ... fait des petits cadeaux. La semaine dernière, j'ai invité quelques amis et je ... ai présenté Patrick. Ils ... ont trouvé charmant.
>
> Hier soir, il ... a dit qu'il voulait ... épouser. Je ne ... ai pas encore répondu mais je crois que je vais ... dire oui parce que je suis très amoureuse de ...

4 Les pronoms remplaçant des choses ou des idées

Complétez avec des pronoms.

Le maire d'une ville pendant une séance du conseil municipal.

« Dans notre ville, 40 % des jeunes sont sans travail et 20 % sont sans formation. Cette situation est nouvelle. La commune doit s'... adapter. Ce problème est sérieux. Nous devons nous ... occuper en priorité.

Il nous manque une bonne école professionnelle. Nous devons ... construire.

Il nous manque des équipements sportifs. Nous devons ... inscrire au prochain budget.

Les associations de jeunes ont fait des demandes précises. Nous devons ... tenir compte et ... répondre favorablement. »

5 Emploi des pronoms à la forme négative

Jean et Luc ne se sont pas vus depuis quelques années.
Complétez les réponses de Luc.

JEAN : Tu es allé au mariage de Patrick ?
LUC : Non, ...
JEAN : Tu as revu Maria Fernandez ?
LUC : Non, ...
JEAN : Frédéric et Nathalie habitent toujours dans leur studio de la rue Buffon ?
LUC : Non, ...
JEAN : Ils ont des enfants ?
LUC : Non, ...
JEAN : Tu écris toujours à ton amie mexicaine ?
LUC : Non, ...
JEAN : Tu sais où habite Mireille Dubreuil ?
LUC : Non, ...
JEAN : Tu as son numéro de téléphone ?
LUC : Non, ...

6 L'accord des participes passés

Lisez l'encadré. Mettez les verbes entre parenthèses au passé composé. Accordez les participes passés.

> • Après l'auxiliaire «être», le participe passé s'accorde avec le sujet du verbe.
> Luc est sorti – Marie est sortie – Marie et Léa sont sorties – Luc et Marie sont sortis.
>
> • Après l'auxiliaire «avoir», le participe passé s'accorde avec le complément d'objet direct du verbe quand ce complément est placé avant le verbe.
> Elle a acheté deux robes chez Cacharel. Elle les a payées 160 €. Elle en a vu une autre chez Manoukian. Elle ne l'a pas achetée.

Julie est au commissariat de police après le cambriolage de son appartement.

LE POLICIER : Donc, cet après-midi, il n'y avait personne chez vous…

JULIE : Non, mon mari (*partir*) ce matin. Mes deux filles (*sortir*) vers 13 heures. Moi, je (*partir*) à 14 heures.

LE POLICIER : Et c'est vous qui (*revenir*) la première ?

JULIE : Oui, je (*rentrer*) à 17 heures.

LE POLICIER : Vous dites que vous (*voir*) les voleurs…

JULIE : Oui, je les (*voir*). C'était deux hommes. Quand ils (*me*) (*apercevoir*), ils (*sauter*) par la fenêtre).

LE POLICIER : Vous dites qu'ils (*emporter*) des bijoux ?

JULIE : Oui, ils les (*trouver*) dans l'armoire.

LE POLICIER : Une montre ?

JULIE : Une belle montre Cartier. Ils (*la*) (*prendre*).

LE POLICIER : Vos petites cuillères en argent ?

JULIE : Ils les (*emporter*) aussi.

LE POLICIER : Est-ce qu'ils vous (*voler*) des tableaux ?

JULIE : Non, ils (*ne*) (*en*) (*voler*) pas. Je n'en ai pas.

7 La proposition relative

a. Complétez avec un pronom relatif (*qui – que – où*).

Un Parisien parle de la Corse.

« C'est une région … je connais bien et … j'ai visitée plusieurs fois. J'aime beaucoup la côte … est très pittoresque avec ses petits ports de pêche, ses montagnes abruptes … dominent la mer et ses belles plages … il n'y a souvent personne.

Mais l'intérieur du pays a aussi son charme. On peut y admirer des paysages sauvages … sont très différents du reste de la France. Il y a aussi des villages … ont conservé leurs traditions et … on parle encore la langue corse. »

b. Regroupez en une seule phrase les phrases entre crochets.

Un Corse parle de Paris.

[Paris, c'est une belle ville … Je connais bien Paris … J'ai habité Paris pendant dix ans].

[J'habitais le quartier des Halles … Ce quartier a beaucoup changé … Mais il est toujours très animé].

[Je travaillais dans un café … On rencontrait des gens célèbres dans ce café … Il n'existe plus aujourd'hui …].

→ « Paris, c'est une ville que… »

ÉCRITS ET ÉCRITURES

8 Quartiers de Paris

Le magazine *Le Nouvel Observateur* a demandé à des personnalités connues qui vivent à Paris pourquoi elles aimaient leur quartier. Lisez leur réponse.

NB : À Paris, on parle de quartiers mais aussi d'arrondissements.
Les arrondissements sont des divisions administratives numérotées de 1 à 20.

8ᵉ – Jacques Villeret (comédien) (A)

Le 8ᵉ a des allures de ville bourgeoise, de province. Et ça ne me déplaît pas. Je n'aime pas les quartiers folkloriques. Je suis de Tours, je ne suis pas très parisien. C'est un quartier d'affaires mais je ne côtoie pas les businessmen. Lorsque l'on se balade sur les Champs-Élysées le matin, on remarque que les gens ne se lèvent pas très tôt. Il n'y a personne.

20ᵉ – Jean-Michel Ribes (metteur en scène) (B)

Ici dans le 20ᵉ il y a beaucoup d'espace, on peut s'y perdre. Le quartier est très métissé, propice à l'imaginaire. C'est une petite ville pas finie. On trouve tout Paris : bourgeois, artistes, prolos. Les gens devraient venir ici pour apprendre la convivialité. Et il y a beaucoup plus de culture que l'on croit. Et les meilleurs bistrots de Paris, les plus authentiques.

11ᵉ – Kenzo (créateur de mode) (C)

C'est un quartier très jeune et désormais central. Une population mêlée y vit, dont de nombreux artistes. L'architecture est pleine de charme, avec ses coins-village et ses petits passages… Il ne se passe pas de jours sans qu'une nouvelle boutique ou une galerie d'art ne s'y installe. C'est extrêmement vivant avec les grands marchés comme Aligre ou Richard-Lenoir, la foire à la brocante…

6ᵉ – Sonia Rykiel (créatrice de mode) (D)

J'adore le 6ᵉ. C'est un endroit privilégié qui bouillonne sans arrêt. On peut y déguster de tout, à toute heure : de la culture, de la politique et de la nourriture. Et puis, dans Saint-Germain, j'aime me perdre toute une journée chez des antiquaires ou dans de petits jardins tendres. J'aime aussi l'idée de frontière avec la rive droite. D'une rive à l'autre, les nuances ne sont pas les mêmes : de l'autre côté, les yeux deviennent plus gris.

15ᵉ – Frank Margerin (dessinateur de BD) (E)

J'habite le 15ᵉ, dans la rue du Commerce, non loin du parc Georges-Brassens, au fond d'une petite impasse. Un quartier sympathique et mal desservi. C'est calme, on n'y risque pas sa peau la nuit. Le reste de l'arrondissement est trop bourgeois. Avec l'inflation de l'immobilier, beaucoup de gens ont cédé la place à des promoteurs. Le quartier s'est vidé de sa substance.

Le Nouvel Observateur, propos recueillis par Guillaume Fedele, 30 mars – 5 avril 1995.

a. Recherchez les mots ou expressions qui signifient :

Texte A
– aspect…
– fréquenter, vivre avec…
– hommes d'affaires…
– se promener…

Texte B
– mélange de populations d'origines ethniques différentes…
– ouvriers, professions modestes…
– bonnes relations entre les gens…
– café…

Texte C
– à partir de maintenant…
– mélangé…
– vente de vieux objets…

Texte D

- être très actif (verbe)…
- apprécier (généralement
  de la nourriture)…
- bord d'un fleuve…
- vente de vieux objets…

Texte E

- rue sans sortie…
- où on ne trouve pas
  facilement un bus, une
  station de métro…
- ne pas être en danger…
- augmentation…
- personne qui commercialise
  des logements…

b. **Analyse des opinions.**
  Comme dans le tableau ci-dessous, notez les caractéristiques du quartier appréciées par chaque personnalité et les aspects qu'elle n'aime pas. Essayez de deviner les goûts et le caractère de chaque personnalité. Notez-les dans la troisième colonne.

	Caractéristiques appréciées	Caractéristiques qui ne sont pas appréciées	Goûts et traits de personnalité
A	allure de ville ordinaire, provinciale – population bourgeoise – tranquillité le matin	quartier d'affaires	il aime le calme, la tranquillité, la solitude
	…	…	…

9 **Exprimer son opinion sur son quartier**

a. Lisez ci-contre les caractéristiques de la qualité de la vie qui ont été retenues par *Le Nouvel Observateur* pour classer les quartiers de Paris. Classez les caractéristiques par ordre de priorité.

  Souhaitez-vous ajouter d'autres caractéristiques ? Lesquelles ?

b. Un journaliste vous demande votre opinion sur votre quartier.
  Rédigez un texte de quelques lignes (comme les opinions des personnalités) pour présenter les caractéristiques qui vous plaisent ou qui ne vous plaisent pas.

Les meilleurs arrondissements sont : le 6ᵉ (Saint-Germain) – le 5ᵉ (Quartier latin) – le 1ᵉʳ (Hôtel de Ville) – le 4ᵉ (Place des Vosges, Marais) – le 8ᵉ (Champs-Élysées).

Les caractéristiques retenues pour ce classement sont :
- la sécurité : le nombre de délits (dont les cambriolages, les vols à l'arraché, les vols de voitures) pour 1 000 habitants ;
- les transports : le nombre de bornes d'appel de taxis, le nombre de stations de RER, de lignes de métro et d'autobus par kilomètre carré ;
- la culture : le nombre de cinémas, de salles de spectacles, de librairies et de bibliothèques par habitant ;
- l'environnement : la superficie des espaces verts et le taux de pollution ;
- les (petits) enfants : le nombre de crèches et de garderies par femme de moins de 40 ans ;
- les (grands) enfants : le taux de réussite au bac du meilleur lycée de l'arrondissement ;
- les commerces : le nombre de restaurants, de cafés-tabacs, de marchés couverts et découverts, d'épiciers et de pharmacies par habitant.

Leçon 3

VOCABULAIRE

1 Information et connaissance

Complétez avec un verbe ou une expression de la liste (mis à la forme qui convient).

a. *Une élève douée.*

Charlotte est une élève douée. Elle … très vite ses leçons. Il lui suffit de les lire deux fois et elle les …

Elle … par cœur des dizaines de poèmes, les dates de l'Histoire et le nom des capitales des pays du monde. À 13 ans, elle … aussi les principales œuvres des grands écrivains.

Mais elle est aussi … de l'actualité. Elle lit des magazines d'informations pour les jeunes et elle regarde tous les soirs le journal télévisé.

- apprendre
- connaître
- être au courant
- savoir

b. *Conversation entre deux voisins.*

– J' … que vous alliez nous quitter. Vous partez à l'étranger.

– C'est vrai. Je vois que vous êtes bien …. Qui vous a … ?

– C'est M. Souchon, le garagiste. Vous savez, avec lui, tout se sait dans le quartier. Il est toujours bien …. On ne peut rien lui …. Je … même où vous allez : en Côte-d'Ivoire !

- apprendre
- cacher
- informer
- mettre au courant
- renseigner
- savoir

2 Apprendre – s'informer

Caractérisez le comportement des personnes ci-dessous en utilisant les verbes de la liste. Donnez trois caractéristiques par personne.

Exemple : a. Pascal apprend par cœur ses textes pendant des heures. Il…

a. Pascal est un comédien très timide.

b. Mme Vergnaud est une ménagère attentive et économe.

c. Serge Pontal est un jeune voyou hypocrite.

d. Achille Clairval est un détective privé efficace.

- apprendre
- cacher
- être au courant
- faire des hypothèses
- interroger
- mentir
- oublier
- s'informer
- se renseigner
- se souvenir
- tromper
- vérifier

3 S'excuser

Dans les situations suivantes, une personne doit s'excuser.
Imaginez ce qu'elle dit pour s'excuser, en utilisant les mots de la liste :

- cacher
- dire la vérité
- faire une erreur
- mentir
- oublier
- se rappeler
- se souvenir (de)
- se tromper
- tromper

a. Dans une épicerie. La vendeuse donne la note à la cliente qui vient de payer :

LA CLIENTE : Excusez-moi ! Vous m'avez compté deux paquets de biscuits. Je n'en ai pris qu'un.

LA VENDEUSE : …

b. Au secrétariat d'un médecin :

LE PATIENT : Bonjour ! Je suis Pierre Leroi. J'ai rendez-vous à 15 heures.

LA SECRÉTAIRE : Euh… C'était hier que vous aviez rendez-vous à 15 heures. Le docteur vous a attendu !

LE PATIENT : …

c. M. et Mme Duval, le matin, au petit déjeuner.

MME DUVAL : Tu sais quel jour nous sommes ?

M. DUVAL : Le 21 janvier… Pourquoi ?

MME DUVAL : Eh bien, c'est mon anniversaire.

M. DUVAL : …

d. M. et Mme Duval. Le même jour. Le soir vers 20 h.

MME DUVAL : Ce matin, tu m'as bien dit que tu devais rester au bureau jusqu'à 19 heures.

M. DUVAL : Ben oui. Pourquoi ?

MME DUVAL : Alors, comment se fait-il que Michèle t'ait vu, à 15 heures au magasin du Printemps. Tu parlais, paraît-il, à une belle blonde.

M. DUVAL : …

4 Gestes et attitudes

Décrivez leurs attitudes et leurs gestes, avant, pendant et après le moment représenté sur la photo.

Exemple : Avant, il était debout. Il frappait son adversaire…

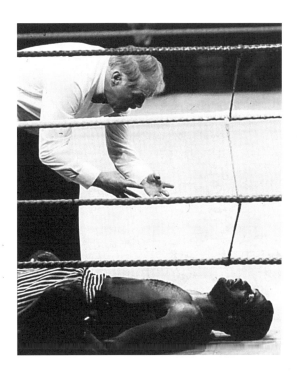

GRAMMAIRE

5 Conjugaison du présent du subjonctif

Rédigez ce qu'ils pensent ou ce qu'ils disent. Utilisez les expressions du tableau.

Exemple : a. Il faudrait que je sorte plus souvent. Il…

> Sortir plus souvent
> Aller chez des amis
> Répondre au courrier que je reçois

> Savoir ton texte par cœur
> Avoir des gestes plus expressifs
> Faire rire le public

- ■ Il faut que…
- ■ Il faudrait que…
- ■ Il est nécessaire que…

- ■ Je veux que…
- ■ Je voudrais que…
- ■ J'exige que…

- ■ J'aimerais que…
- ■ Je souhaite que…
- ■ Nous devrions…

a. Il est fatigué. Il doit réagir. Il se sent seul.

b. Le metteur en scène donne des directives à l'acteur.

> Être à l'heure
> Faire votre travail sérieusement
> Venir travailler le mercredi après-midi

> Prendre des longues vacances
> Partir pour un grand voyage
> Vivre une grande aventure

c. La directrice réprimande sa secrétaire.

d. Elle rêve à des projets avec son mari.

6 Suppositions

Le commissaire Maigret et son assistant cherchent l'assassin de M. Arnoux.
L'assistant donne des informations. Le commissaire Maigret fait des suppositions.
Rédigez le dialogue entre les deux hommes.

Informations sur M. Arnoux

1. Son neveu est l'héritier. Il a besoin d'argent.
2. Son épouse a découvert sa liaison avec Isabelle Dupuis.
3. M. Arnoux était directeur d'une entreprise. Il a renvoyé un de ses employés.
4. L'assistant de M. Arnoux est maintenant directeur de l'entreprise.

> Je sais que…
> On dit que…
> Il paraît que…
> J'ai l'impression que…

> Peut-être que…
> On peut supposer que…
> On peut imaginer que…
> Il est possible que…

> Ambition ? Vengeance ?
> Jalousie ? Intérêt ?

→ L'ASSISTANT : Je sais que le neveu de M. Arnoux…
  LE COMMISSAIRE : Alors, peut-être qu'il a tué par intérêt…

7 L'interrogation

Un journaliste interroge le célèbre journaliste
et présentateur de télévision Patrick Poivre d'Arvor.
Imaginez ses questions d'après les réponses suivantes :

– Je suis né en 1947, dans le nord-est de la France.

– D'Arvor ? C'était le nom de mon grand-père maternel.

– Mon père était représentant de commerce.

– Mon bac, je l'ai eu à 16 ans.

– Après, je suis entré à l'Institut d'études politiques de Strasbourg. Mais, je me suis bientôt retrouvé père d'un enfant.

– Plusieurs petits métiers : chauffeur, gardien de nuit, contrôleur dans les trains.

– Je suis entré à France-Inter en 1971.

– J'y suis resté trois ans.

– Je présente le journal télévisé depuis 1976.

(D'après *Réponse à tout*, hors série, 1995.)

Patrick Poivre d'Arvor (dit PPDA). Entré très jeune à France-Inter (radio), il fait ensuite de la télévision. Il est devenu l'un des présentateurs de journaux télévisés les plus populaires.

8 Emploi des pronoms avec l'impératif

Pierre fait des projets de vacances. Il demande conseil à deux amis : Luc et Léa.
Luc approuve. Léa désapprouve.
Continuez la conversation comme dans l'exemple.
Imaginez des explications à l'approbation de Luc et à la désapprobation de Léa.

PIERRE : Avec Juliette, on se demande si on va en Thaïlande.
LUC : Oui, *allez-y* ! C'est un beau pays.
LÉA : Non, *n'y allez pas* ! C'est trop loin.

PIERRE : On se demande si on emmène les enfants.
LUC : Oui, …
LÉA : Non, …

PIERRE : Est-ce qu'on part avec les Dubreuil ?
LUC : Oui, …
LÉA : Non, …

PIERRE : Est-ce qu'on prend la compagnie Air-Transport ?
LUC : Oui, …
LÉA : Non, …

PIERRE : Est-ce qu'on profite des prix bas de l'hiver ?
LUC : Oui, …
LÉA : Non, …

PIERRE : Est-ce qu'on visite le Triangle d'or ?
LUC : Oui, …
LÉA : Non, …

PIERRE : Est-ce qu'on reste une semaine à Bangkok ?
LUC : Oui, …
LÉA : Non, …

PIERRE : Est-ce qu'on demande des conseils à Arnaud qui a passé deux ans là-bas ?
LUC : Oui, …
LÉA : Non, …

ÉCRITS ET ÉCRITURES

9 Lettre de plainte

Lisez la lettre suivante.

LES AMIS
DU MUSÉE
DES BEAUX-ARTS

Dinan, le 4 avril 1996
Monsieur le Maire de DINAN

Monsieur le Maire,

C'est avec une vive émotion que les Amis du musée ont appris l'inadmissible acte de vandalisme commis au musée des Beaux-Arts dans la nuit du samedi 1er avril. Au nom des membres de notre association, je tiens à vous faire part de notre indignation.

Cet incident révoltant était malheureusement prévisible. Je vous rappelle que l'an dernier la caisse a été cambriolée et que des tags ont été dessinés dans une salle, heureusement sans dommage pour les œuvres d'art.

Nous tenons donc encore une fois à protester contre le manque de personnel. L'absence d'un gardien de nuit est par exemple inacceptable.

Si nous ne voulons pas que des actes semblables se renouvellent, il faut que des mesures urgentes soient prises.

Dans l'espoir que nous serons entendus, nous vous prions de croire, Monsieur le Maire, à l'expression de nos sentiments respectueux.

Le Président des Amis du musée
Jacques Durant

a. Compréhension générale. Indiquez :

  – Qui écrit ? Est-ce une lettre personnelle ?

  – À qui écrit-on ?

  – Dans quels buts écrit-on ?

b. Résumez chacun des quatre premiers paragraphes de cette lettre en une courte phrase.

  1. Un acte de vandalisme a été commis au musée.

  2. (…)

c. Complétez le tableau avec des mots ou ensemble de mots de la lettre.

Mots ou ensemble de mots qui indiquent des faits objectifs	Mots ou ensemble de mots qui expriment des sentiments et des jugements	Mots ou ensemble de mots qui poussent le maire à faire quelque chose
acte de vandalisme commis au musée…	une vive émotion	protester contre…
…	…	…

10 Rédiger une lettre de plainte

Lisez cette information et les réactions des gens.

Vous êtes président d'une association sportive ou culturelle. Rédigez une lettre de plainte au maire de votre ville.

Réductions budgétaires à la mairie

LES SUBVENTIONS
AUX ASSOCIATIONS SPORTIVES ET CULTURELLES
DIMINUÉES DE MOITIÉ.

Hier, le maire et les conseillers municipaux ont décidé de réduire de 50 % les subventions accordées aux associations sportives et culturelles. Le Club de gymnastique qui recevait 7 600 € ne recevra plus que 3 800 €. Le Théâtre populaire passera de 30 000 € à 15 000 €.

Que pensez-vous de la décision prise au conseil municipal ?

C'est une catastrophe ! Comment allons-nous payer les travaux de rénovation de la salle ?

Nous allons être obligés d'annuler la moitié des spectacles. C'est inadmissible !

Il faut protester ! C'est la mort de notre association ! Comment allons-nous payer le personnel d'entretien, le nouveau matériel… ?

Pour notre fête annuelle, l'an dernier, il y avait 4 000 spectateurs. Cette année, il n'y aura pas de fête !

Ça va nous mettre dans une situation très difficile.

À LA DÉCOUVERTE DES MOTS

11 Les accents

a. Mettez les accents quand c'est nécessaire.

– L'annee derniere, les eleves ont etudie la geographie de l'Amerique.

– Son pere a des terres cultivees et des forets dans le Perigord.

– Elle epelle son prenom.

b. Complétez chaque phrase avec les deux mots.

– **la / là** – Où est garée … voiture ? Elle est …bas, au coin de la rue.

– **ou / où** – … as-tu mis le journal ? Dans le salon … dans la chambre ?

– **a / à** – Il … acheté un appartement … Paris.

– **du / dû** – Ses amis sont restés pour dîner. Il a … aller acheter … pain.

– **sur / sûr** – Je suis … que j'ai laissé mes lunettes … la table de la salle à manger.

– **mur / mûr** – Contre le … il y a un arbre fruitier. Ses fruits sont …

> • **L'accent aigu** (') se met sur e pour donner le son [e]. À la fin d'un mot, il ne se met pas devant d, r, f, z.
> • **L'accent grave** (`) se met sur e pour donner le son [ɛ]. Il se met aussi sur les autres voyelles pour distinguer des homonymes (la – là).
> • **L'accent circonflexe** (^) se met sur une voyelle pour distinguer des homonymes (du – dû). C'est aussi le signe étymologique d'une lettre qui a disparu. Avant, on écrivait « coste », « teste » ; aujourd'hui → côte, tête.
> ! On ne met jamais d'accent sur une voyelle suivie d'une consonne double.
> (Il appelle. Il jette.)

c. Trouvez un mot de la même famille que le mot souligné. Ce mot doit comporter un accent circonflexe.

Exemple : Le bandit avait un regard *bestial* → bête.

– Elle était très malade. Elle a été *hospitalisée* → …

– Il est garde *forestier* → …

– Ce livre est *intéressant* → …

– Ce gâteau est *croustillant* → …

– Les habitants de la Corse sont des *insulaires* → …

12 Les homonymes

Voici des définitions de mots. Dans chaque groupe, les mots qui correspondent à ces définitions se prononcent de la même manière. Trouvez ces mots. Observez les différences d'orthographe.

Exemple : Les Français en mangent beaucoup : *le pain.*
Arbre des pays méditerranéens : *le pin.*

a. Pas beau : …

Liquide blanc nourrissant : …

b. Terre cultivée : …

De la musique avec la voix : …

c. Quand on n'a pas mangé : …

Les derniers moments : …

d. Groupe de chanteurs : …

Quand il s'arrête, on meurt : …

e. Entre la tête et les épaules : …

Quand on en donne, ça fait mal : …

f. Boisson alcoolisée : …

Deux dizaines : …

13 Le corps et les expressions imagées

Trouvez dans la colonne de droite le trait de personnalité
que traduisent les expressions suivantes :

a. Elle a la tête dans les nuages.

b. Il a perdu la tête.

c. Elle a la tête sur les épaules.

d. Il a les dents longues.

e. Elle a la main sur le cœur.

f. Il se laisse mener par le bout du nez.

g. Elle ne sait pas sur quel pied danser.

h. Il a les yeux plus grands que le ventre.

- ambitieux (ambitieuse)
- fou (folle)
- généreux (généreuse)
- indécis (indécise)
- prétentieux (prétentieuse) mais incapable
- réaliste
- rêveur (rêveuse)
- soumis (soumise) et obéissant (obéissante).

14 Portrait-robot

Découvrez le nom d'un célèbre personnage de roman policier.
Complétez chaque phrase.
Reportez dans la grille le mot que vous avez trouvé.
Dans les cases grises, lisez verticalement le nom du personnage.

a. Le personnage a un poste important dans la police. Il est …

b. Le personnage porte souvent un … sur la tête.

c. Le personnage fume toujours la …

d. Quand il s'occupe d'une affaire, le personnage fait subir
   de longs … aux témoins.

e. Les romans du créateur de ce personnage commencent
   toujours par la découverte d'un cadavre : un … a été
   commis.

f. Le personnage doit alors découvrir le …

g. Pour mener son …, le personnage s'installe sur le lieu
   du crime, observe, bavarde avec les gens et fait
   confiance à son intuition.

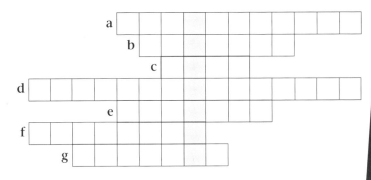

VOCABULAIRE

1 Les exploits

a. Lisez les informations ci-contre. Avec chaque information, complétez le tableau.

	1.	2.
Informations sur l'auteur de l'exploit.	P. Frey – Français – accompagné d'un Bochiman (habitant local).	…
Type de sport ou d'activité.	…	…
Lieu de l'exploit.	…	…
Caractéristiques de l'exploit.	1 200 km dans le désert – sans eau – sans nourriture.	…

b. Choisissez, dans la liste ci-dessous, les qualités qu'il faut avoir et les défauts qu'il ne faut pas avoir pour réaliser chacun de ces exploits.

Texte 1 : → Il faut avoir …
Il ne faut pas avoir …

- Avoir…
  le sens de l'équilibre
  de bons réflexes
  de la résistance
- Ne pas avoir…
  le vertige
  la peur de la solitude
  une mauvaise vue

1.

Désert du Kalahari

Après sa traversée du Sahara, le Français Philippe Frey est parti le 15 juillet 1992 du Botswana pour traverser le désert du Kalahari et rejoindre l'Afrique du Sud. Avec le Bochiman Simon dit «la Tortue», ils ont traversé 1 200 km sans aucun point d'eau, en 25 jours, vivant de cueillette et de chasse.

3.

En ULM sous la tour Eiffel

C'est le 6 novembre 1986 que le Français Gérard Dance est passé en ULM sous la tour Eiffel à Paris.

Le Livre Guiness des Records, 1996, TF1 Éditions.

- Être…
  adroit – patient – précis
- Ne pas être…
  nerveux

2.

Gratte-ciel à mains nues

En mars 1994, le Français Alain Robert, alpiniste passionné par les gratte-ciel, a escaladé à mains nues les 42 étages de la tour Gan, à Paris-La Défense. Les vigiles qui l'accueillirent au sommet l'ont immédiatement amené au commissariat de police le plus proche.

4.

Sur une chaise

Le célèbre funambule Henry a réussi, le 1er juillet 1992, un équilibre par temps de brouillard, sur les deux pieds arrière d'une chaise, eux-mêmes en équilibre sur des verres posés sur une deuxième chaise. Le tout sur l'extrême bord de la falaise de 600 m du Prekestolen, à Rogaland, en Norvège.

2 Réussites et échecs

a. Complétez avec un verbe de la liste à la forme qui convient.

Il ne faut jamais désespérer.

Jusqu'à l'âge de 20 ans, Jean Dugommeau n'a jamais eu de chance. Enfant, quand il jouait avec ses copains, il … toujours. Quand il était dans une équipe de football, cette équipe était toujours …

À l'école, Jean Dugommeau n'était pas un mauvais élève. Pourtant, il n'a jamais … au baccalauréat. Il a … trois fois de le passer mais il a toujours …

- perdre
- tenter
- réussir (réussi)
- battre (battu)
- échouer

À 18 ans, il a … plusieurs fois d'attirer l'attention de sa jolie voisine Sylvie Mercier. Mais il n'a jamais réussi à … sa timidité pour l'inviter au cinéma.

La chance est arrivée plus tard. Le jour de ses 20 ans, Jean Dugommeau a acheté un billet de Loto. Il a … le gros lot : 600 000 € !

- essayer
- vaincre (vaincu)
- gagner

b. **Nommez les actes et les faits représentés par les verbes de la liste.**

Exemple : essayer → un essai.

3 Sport japonais

a. **Dans le texte ci-contre, trouvez les mots qui signifient :**

- rendre fou, perturber
- préparation sportive
- exercices physiques qu'on fait juste avant la compétition
- attaque

LES LUTTEURS JAPONAIS (SUMOTORI)

Pesant au minimum 100 kilos et jusqu'à 278 kilos pour le Hawaïen Yasokishi Konishiki, ils affolent les balances après des années de dur entraînement. Un régime est obligatoire pour… faire le poids face à leurs adversaires.

Mais leurs kilos ne les empêchent pas d'être souples, agiles et puissants au combat. Si l'échauffement est long, un assaut dure en moyenne dix secondes.

Pour vaincre, un sumotori doit faire tomber son adversaire ou le pousser hors du ring, le « dohyo », un cercle de terre.

Car le sumo n'est pas seulement un sport. C'est aussi un style de vie exigeant. Parmi les règles de vie d'un sumotori, on trouve l'entraînement quotidien dès 5 heures du matin et la vie en communauté dans des locaux non chauffés.

TV Hebdo (*Le Républicain lorrain*), 14 octobre 1995.

b. **Faites la liste de toutes les qualités que doit avoir un sumotori.**

c. **Faites la liste des règles qu'on doit suivre pour devenir un bon sumotori.**

Exemple : Faire tous les jours des exercices pour rester souple.

4 Sports, actions, objets

À quel sport correspondent les phrases suivantes ?

Répartissez les objets de la liste entre ces différents sports.

a. Il a gagné le Tour de France.

b. Il a soulevé 200 kg à l'arraché.

c. Elle a fait un mauvais service. La balle a touché le filet.

d. Elle a descendu la piste noire sans faire une chute.

e. Elle a grimpé jusqu'au sommet de la falaise avec adresse.

f. Il a marqué un superbe panier.

g. Il a pêché un énorme saumon.

- une balle
- un ballon
- une canne
- un casque
- une corde
- un poids
- une raquette
- des skis
- un vélo

GRAMMAIRE

5 La forme passive

Lisez la publicité ci-contre.

a. Répondez en utilisant la forme passive comme dans l'exemple.

– Où joue-t-on la pièce *Drôle de couple*?
   → La pièce est jouée au théâtre des Bouffes-Parisiens.

– Qui joue cette pièce ? → …

– Qui l'a écrite ? → …

– Qui a fait la mise en scène ? → …

b. Voici des réponses. Trouvez les questions en utilisant la forme passive.

– Par qui la pièce est-elle jouée ?   – Elle est jouée par deux célèbres comédiennes.

– ....?   – La pièce a été jouée 150 fois.

– ....?   – Les actrices ont été très applaudies.

– ....?   – La pièce a été appréciée par la critique*.

* Critique : ici, commentaires (positifs ou négatifs) sur un spectacle
  ou une manifestation culturelle. Journalistes qui ont écrit ces commentaires.

6 Mise en valeur par la forme passive

Transformez les phrases suivantes en commençant par les personnes
ou les choses représentées par les mots soulignés.

Propos d'un joueur de football.

« Oui, Marseille nous a battus. Ma blessure m'a handicapé.

Le match a déçu les spectateurs. Il m'a déçu moi aussi.

Vous savez, c'est Lambertini qui nous a entraînés. L'équipe ne l'apprécie pas beaucoup. C'est le président du club qui l'a nommé. Mais ça va changer. L'an prochain, on ne réélira pas le même président à la tête du club. Le nouveau président changera l'entraîneur. »

→ « Oui, nous avons été battus par Marseille. J'ai… »

7 L'accord du participe passé

Répondez aux questions comme dans l'exemple.
Cherchez les réponses dans la liste.

Exemple : a. La pyramide du Louvre a été construite par l'architecte Pei.

a. Qui a construit la pyramide du Louvre ?

b. Qui a peint *Les Demoiselles d'Avignon*?

c. Qui a découvert la radioactivité ?

d. Qui a mis au point la première voiture électrique ?

e. Qui a fait la première greffe du cœur ?

f. Qui a détruit le village de Carthage ?

■ Le Sud-Africain, Barnard (en 1967)
■ Marie Curie (en 1898)
■ L'Allemand Gutenberg (en 1434)
■ Les Américains Morris et Salom (en 1891)
■ Pablo Picasso (en 1907)
■ L'architecte Pei (en 1988)

g. Qui a écrit les *Histoires extraordinaires* ?

h. Qui a inventé l'imprimerie ?

- E. A. Poe (en 1839)
- Les Romains (en 146 avant J.-C.)

8 (*se*) *faire* + infinitif (sens passif)

Répondez aux questions suivantes en utilisant les indications entre parenthèses.

a. **Utilisez *faire* + verbe**

- Comment a-t-il fait pour garder la même voiture pendant vingt ans ?
  (changer le moteur – repeindre la carrosserie – refaire l'intérieur)

→ « Il a fait changer le moteur … »

- Vous rénovez votre maison ?
  (réparer la toiture – agrandir le salon – construire une chambre supplémentaire)

b. **Utilisez *se faire* + verbe**

- Tiens ! Elle sait utiliser son ordinateur maintenant ?
  (explications par un ami – cet ami lui a prêté un petit guide)

- Vous ne parlez pas le chinois et vous avez traversé la Chine
  en voiture ! Comment avez-vous fait ?
  (compréhension par gestes – traduction des panneaux par les Chinois)

9 Les verbes pronominaux de sens passif

Vous écrivez le scénario d'un film d'épouvante.
Faites la liste des événements bizarres qui vont se passer dans cette pièce.
Utilisez les verbes de la liste.

→ « Tout à coup on entend des bruits étranges. Le vent se lève. La fenêtre … »

- s'ouvrir / se fermer
- s'allumer / s'éteindre
- se déplacer
- s'arrêter
- se casser

ÉCRITS ET ÉCRITURES

10 Commentaires sur une émission de télévision

« Envoyé spécial » vit sur sa réputation

Demandez à vos amis quelle est la meilleure émission de télévision, ils vous répondront plus d'une fois sur deux : « Envoyé spécial », le magazine d'information de France 2 programmé tous les jeudis à 20 h 50.
(…)

À la veille de ses six ans (la première édition remonte au 17 janvier 1990), l'émission de Paul Nahon et Bernard Benyamin jouit en effet d'une réputation inégalée dans l'univers de la télé. Une renommée, construite au fur et à mesure des centaines de reportages diffusés.
(…)

Aujourd'hui, si « Envoyé spécial » enregistre encore de très belles audiences (près de six millions de téléspectateurs pour l'émission de jeudi dernier sur le chocolat, les grèves et les Restos du cœur), les responsables de l'émission doivent tout faire pour ne pas décevoir et, surtout, ne pas abuser de la confiance que leur accordent les téléspectateurs. On sait que, s'il demeure le magazine d'information le plus connu, il n'échappe pas à la critique. Certains y voient un magazine trop noir, trop sombre. D'autres s'estiment déçus par le manque d'originalité ou de scoops dans les reportages. D'autres encore l'accusent de ne pas être objectif lors de la diffusion de sujets sensibles ou politiques. « Il serait vain, expliquent Nahon et Benyamin, de croire qu'on peut être objectif en matière d'information. On essaye simplement d'être honnête. »

Bruno Courtois, *Aujourd'hui*, 21 décembre 1995.

a. Lisez l'article ci-dessus et présentez l'émission « Envoyé spécial ».

→ « C'est une émission de … réalisée par … qui parle de … (où l'on traite des sujets …), etc. »

b. Trouvez les mots qui, dans cet article, ont la signification suivante :

Première colonne : bénéficier – une célébrité – progressivement.
Deuxième colonne : tromper – rester.
Troisième colonne : une nouvelle sensationnelle – délicat – inutile.

c. Recherchez tout ce qui montre que l'émission « Envoyé spécial » est appréciée.

d. Faites la liste des critiques que certains téléspectateurs adressent à cette émission.

11 Opinions sur une nouvelle émission

a. Parcourez le document de la page 29.

1. De quel type de journal est-il extrait ?

2. Quel type d'information donne-t-il ?

3. Comment le magazine a-t-il obtenu ces informations ?

b. Lisez attentivement le document de la page 29.
Pour chacune des sept déclarations :

1. Notez tout ce que vous apprenez sur l'émission « Échos de stars ».

2. Relevez et notez dans le tableau tous les mots qui expriment une appréciation positive ou négative.

	Appréciations positives	Appréciations négatives
	adorer	déçue (décevoir) ne rien apprendre
Verbes – Participes passés (donnez l'infinitif)	…	…
Expressions verbales	…	…
Adjectifs – Adverbes	…	…
Noms – Expressions avec un nom	…	…

ALLÔ, QU'EN PENSEZ-VOUS ?

" Échos de stars ", le samedi sur TF1 : rien de passionnant

● J'ai regardé la première d' « Échos de stars », et j'avoue avoir été très déçue. Pourtant, j'adore tout ce qui touche aux vedettes, mais je n'ai rien appris dans cette nouvelle émission.

    Mme Diez, Besançon

● C'est une émission qui se laisse regarder comme ça, quand il n'y a rien d'autre à faire le samedi après-midi, mais ce n'est pas très palpitant !

    Karine Périlhou, Angers

● J'ai beaucoup aimé la séquence réalisée sur Sylvie Vartan. On la voyait dans sa vie de tous les jours, au naturel.

Cela changeait un peu des paillettes. Mais malheureusement, le reportage était très court !

    C. Simonet, Châteauroux

● Même si j'adore Bernard Montiel, sa nouvelle émission n'est pas très passionnante : beaucoup de sujets très « cartes postales » sans réel intérêt. Dommage !

    M. Steinville, Arcachon

● Je suis furieuse que « Melrose Place » ait été déplacé pour cette pseudo-émission sur les stars et les vedettes. Au moins, dans un feuilleton, il y a une histoire !

    Anne Joly, Cergy

● Je m'intéresse beaucoup à la vie des vedettes, donc j'ai regardé les deux premières émissions. Placer « Échos de stars » en fin d'après-midi, le samedi, c'est le bon moment pour une agréable détente.

    Mme Fairier, Paris

● Encore une émission sans intérêt ! Un feuilleton américain ou une émission sur la vie des stars, c'est du pareil au même : abrutissant ! Mieux vaudrait aller au cinéma en famille !

    M. et Mme Milardet, Saint-Denis

Télé-Loisirs, n° 515, 13 janvier 1996.

12 Compte rendu d'opinions

Vous êtes journaliste et vous devez présenter l'émission « Échos de stars » dans un bref article de 15 lignes. Cet article doit comporter :

a. une présentation objective de l'émission (utilisez les informations que vous avez relevées dans l'exercice précédent – ex. 11b, 1)

b. un compte rendu des réactions et des opinions des téléspectateurs qui ont vu la première émission. (Utilisez les déclarations des téléspectateurs. Présentez ce compte rendu comme dans l'article « Envoyé spécial », troisième colonne.)

→ « Certains pensent … D'autres … Une personne … Une habitante de Cergy … Plusieurs téléspectateurs … »

• Utilisez les verbes de l'expression de l'opinion :

    penser – trouver – estimer – juger – accuser– voir, etc.

UNITÉ 2

Leçon
5

VOCABULAIRE

1 L'événement

a. **Complétez avec un verbe de la liste.**

Les Champs-Élysées.

Il ... toujours quelque chose d'intéressant sur les Champs-Élysées. C'est sur cette avenue que le défilé militaire du 14 Juillet ... chaque année. De grandes manifestations et des commémorations ... régulièrement sur cette grande artère. Dans ces cas-là, il ... de grands embouteillages. Il ... aussi que ces manifestations soient très originales. Tous les habitants du quartier se souviennent d'un événement qui ... en 1992. Les agriculteurs, pour protester contre la politique du gouvernement, ont transformé les Champs-Élysées en champ de blé et de légumes.

- ■ avoir lieu
- ■ se dérouler
- ■ arriver – il arrive que…
- ■ se passer – il se passe…
- ■ se produire – il se produit…

b. **Observez le dessin ci-contre. Imaginez les questions que posent:**
- – le curieux qui vient d'arriver
- – la victime
- – l'agent de police
- – la dame qui veut se rendre utile

Utilisez les verbes de la liste.

2 Délits et délinquants

Trouvez les délits et le type de délinquants.

Exemple : Il a commis un vol ; un vol → un voleur.

1. Il a commis un vol.
2. Pour des raisons politiques, elle a fait exploser une bombe dans un grand magasin.
3. Il a mis le feu à une forêt.
4. Elle a tué son mari par jalousie.
5. Elle a transmis des documents secrets à l'étranger.
6. Pour voler des bijoux, il a cassé une vitre et il est entré dans la maison.
7. Elle a enlevé l'enfant d'un milliardaire et a demandé une rançon.

3 Constructions/destructions – dégradations/réparations

a. Complétez avec les verbes de la liste à la forme qui convient.

Construction et restauration dans les villes françaises depuis 1945.

Pendant la guerre de 1939-1945, les bombardements ont … des quartiers et quelquefois des villes entières. Les bombes ont aussi … des monuments célèbres comme la cathédrale de Beauvais qui a perdu son clocher. À partir de 1945, il a donc fallu … les dégâts de la guerre et … des quartiers et des villes.

Vers 1960, la population a augmenté. C'est l'époque où l'on a … de grands ensembles de logements dans les banlieues.

Dans les années 80, le visage des centres-villes a changé. On a … des vieilles maisons qui n'avaient aucun intérêt architectural. On a … les bâtiments intéressants que l'on voulait conserver.

Les façades des monuments étaient … par le vent, les fumées et le gel. On les a …

- abîmer
- casser
- démolir
- détruire
- endommager

- construire
- reconstruire
- réparer
- restaurer
- rénover

b. Lisez le texte suivant. Faites la liste de tout ce qui a été endommagé.

Relevez et classez le vocabulaire qui exprime l'idée de dégradation.

Le 5 décembre 1995, des manifestations d'étudiants se déroulent à Montpellier. Mais des délinquants se sont mêlés aux étudiants…

18 h 30. Les premières scènes de pillage sont signalées aux forces de l'ordre. Le magasin d'un caviste est éventré ; en face, les bijoutiers de la Loge ont juste eu le temps de descendre leurs rideaux. Des barricades de poubelles embrasées ralentissent l'avancée des policiers [...].

19 h 30, les clients d'un autre « fast-food », le Quick, sont à leur tour terrorisés. Les vitres sont brisées, tables et chaises jetées dans un grand brasier…

Vers 20 heures, les vitres blindées d'une banque partent en étoiles puis un nouveau restaurant « Chez Prosper » est attaqué, non loin du Corum sur l'Esplanade. Au bas de l'Esplanade, le boulevard Louis-Blanc est déjà la proie des flammes : feux de circulation abattus, vitrines brisées, mini-barricades… Toujours le même spectacle de désolation.

Le Midi Libre, 6 décembre 1995.

4 Les suffixes indiquant l'acteur et l'action

Complétez le tableau.

L'acteur/l'actrice	L'action (verbe)	L'action (nom)
un(e) constructeur / constructrice	construire	une construction
	détruire	
		une réparation
	animer	
		une création
	présenter	
un(e) organisateur / organisatrice		
	restaurer	
	agir	

GRAMMAIRE

5 Situation dans le temps

Complétez avec une préposition ou un article.

- Pierre est né … 1978, … 15 février, … 10 heures.
- Nous prenons nos vacances … juillet et … août. Nous allons à Valras-Plage … 14 juillet … 31 août.
- … mois d'août, nous partons en Espagne.
- Je me souviens très bien des inondations de Vaison-la-Romaine mais je ne sais plus … quelle année ça s'est passé. C'était … 22 septembre, … la fin de l'été.

6 Chronologie et durée

Lisez le dialogue suivant. Retrouvez le calendrier des activités de Fabrice.

Deux amis, Fabrice et Caroline, se retrouvent. La scène se passe en 1996, la veille de Noël.

CAROLINE : Il y a combien de temps qu'on ne s'est pas vus ?

FABRICE : Je vais te dire. On ne s'est pas vus depuis Noël 1993. Ça fait exactement trois ans.

CAROLINE : Et qu'est-ce que tu as fait pendant tout ce temps-là ? Je me rappelle qu'à Noël 93, ça faisait quatre mois que tu étais en stage dans une banque.

FABRICE : Tu as bonne mémoire… Eh bien, mon stage a duré six mois. Puis, je suis parti faire mon service militaire pendant un an. Après, je suis retourné travailler à la banque. Mais au bout de quatre mois, j'ai démissionné. Ça ne m'intéressait plus.

CAROLINE : Et tu as retrouvé du travail ?

FABRICE : Au bout de six mois. Ça a été un peu long. Mais j'ai été engagé par Elf Aquitaine pour aller travailler au Koweït. Là, je suis rentré juste pour Noël. Je repars dans une semaine. Mais dans trois mois mon contrat est terminé. Je rentre en France.

→ « Septembre 1993 : … »

7 Expression de la durée dans le futur

Complétez avec : *au bout de ; dans ; en ; jusqu'à ; pour.*

CLARA : Tu pars bientôt en vacances ?

PIERRE : … quatre jours. Je pars en Espagne.

CLARA : Tu pars longtemps ?

PIERRE : … quinze jours.

CLARA : Tu n'as que quinze jours de vacances ?

PIERRE : Non, je suis en vacances … 31 août. Mais tu sais, moi, je n'aime pas rester longtemps loin de Paris. … quinze jours, j'en ai assez.

CLARA : Tu vas à Madrid ?

PIERRE : Oui. Mais je n'y reste pas longtemps. On m'a dit qu'on pouvait visiter la ville … trois jours. Après, je vais en Andalousie. J'y reste … la fin de mon séjour en Espagne.

8 Demander des informations sur le moment et la durée

Les informations données dans les deux articles suivants sont incomplètes.
Posez les questions qui vous permettent de demander des compléments
d'information.

Une grand-mère de 75 ans est en prison à Quimper. Elle allait dans les meilleurs hôtels et restaurants de France et partait sans payer ses notes.

D'après *La Montagne*, 22 octobre 1995.

a. Vous interrogez la grand-mère. Vous voulez savoir :

  – la date de sa condamnation,

  – le temps qu'elle a passé en prison,

  – le temps qui lui reste à passer en prison,

  – la période où elle a commis des délits (commencement – durée).

Dans l'est de la Suisse, un homme a passé une partie de la nuit du 24 décembre dans une cabine téléphonique. La porte de la cabine s'était bloquée.

D'après *Aujourd'hui*, 3 janvier 1996.

b. Vous interrogez l'homme. Vous voulez savoir :

  – l'heure qu'il était quand il est entré dans la cabine,

  – le temps passé dans la cabine avant qu'on vienne le délivrer,

  – comment il a passé son temps dans la cabine.

Exemple : **a.** « En quelle année avez-vous été condamnée ? »

9 Les sens de *en*

Lisez l'encadré sur les emplois de *en*.
Trouvez des exemples de ces emplois dans les phrases suivantes :

....

Les emplois de *en*

• *En* peut être pronom.
  Il remplace :
  – un nom
  – une proposition

• *En* peut être préposition.
  Il introduit :
  – une précision sur le moment
  – une précision sur la durée
  – une indication de lieu
  – une indication sur la matière
  – une indication sur le moyen
  – une précision sur la manière d'être ou de faire

....

• Cet été nous allons $\underline{en}^1$ Grèce $\underline{en}^2$ voiture. Nous pensons visiter le sud du pays $\underline{en}^3$ quinze jours.

• Vous prenez du café ?

– Oui, merci, j'$\underline{en}^4$ prends toujours après le déjeuner. Avec un peu de sucre.

– Vous voulez du sucre $\underline{en}^5$ poudre ou $\underline{en}^5$ morceaux ?

• Ce pays est $\underline{en}^6$ guerre avec son voisin depuis vingt ans. La guerre a éclaté $\underline{en}^7$ 1971.

• Tu te rappelles quand nous sommes allés jouer au casino de Cannes ?

– Oui, je m'$\underline{en}^8$ souviens très bien. C'était $\underline{en}^9$ été. J'ai tout perdu et je me suis mis $\underline{en}^{10}$ colère.

• On lui a offert une veste $\underline{en}^{11}$ cuir.

ÉCRITS ET ÉCRITURES

10 Le récit au passé : événement – circonstances et états passés

a. Analysez l'emploi des temps des verbes dans les nouvelles brèves suivantes. Classez les verbes dans le tableau.

	Événements principaux passés	Circonstances des événements principaux États passés	État présent
1.	Les pompiers ont réussi à éteindre le feu		

1.

INCENDIE MAÎTRISÉ UN SIÈCLE APRÈS

Pékin. – Les pompiers chinois ont réussi à éteindre le feu qui consumait une mine de charbon… depuis un siècle.

La mine à ciel ouvert de Bayanghe, dans le Xinjiang (nord-ouest), qui couvre près de six kilomètres carrés, perdait 300 000 tonnes de charbon par an.

La Montagne, 15 novembre 1995.

2.

EMPLOYÉ MODÈLE

Londres. – Un jeune charpentier de 17 ans a avalé sa brosse à dents alors qu'il était pris d'une quinte de toux mais il est quand même parti travailler et n'a subi que le lendemain une opération chirurgicale.

L'adolescent mâchonnait sa brosse par le manche tout en se lavant les cheveux lorsqu'il a avalé l'objet de 15 centimètres de long.

La Montagne, 15 novembre 1995.

3.

Avalanche

Un randonneur emporté par une avalanche a été grièvement blessé hier dans le massif de Belledonne (Isère) dans le secteur de la Grande Lance de Domène. Le randonneur, accompagné d'un ami, se trouvait à une altitude d'environ 2 000 mètres, lorsqu'il a été emporté par une coulée d'une centaine de mètres de longueur. Son compagnon s'est porté à son secours et a pu le dégager.

Le Midi-Libre, 5 janvier 1996.

b. Ces deux personnes projettent de faire quelque chose.
Imaginez et rédigez les deux nouvelles brèves qui paraîtront dans la presse quand elles auront réalisé leur projet.

Gérard Dufès, 35 ans, employé dans une imprimerie, parle d'un projet à un ami.

« C'est bientôt l'anniversaire de mon mariage avec ma femme Annie. J'ai envie de lui faire une surprise. Mais je ne le dis à personne, sauf à toi. Je suis en train de faire faire cinquante grandes affiches. Sur ces affiches il y aura écrit " Annie, je t'aime ".

J'ai un ami qui s'occupe de la gestion des panneaux publicitaires. Il va coller les affiches dans toute la ville… »

Un pilote d'avion amateur parle d'un projet à un ami.

« Demain, c'est le 14 juillet. Il va y avoir le défilé militaire sur les Champs-Élysées. Je déteste l'armée. Je vais leur faire une plaisanterie. La météo annonce du beau temps pour demain. Je vais survoler les Champs-Élysées à 50 mètres d'altitude avec mon petit avion et je jetterai de la peinture bleue, blanche et rouge sur la foule. Je serai peut-être arrêté quand j'atterrirai mais on parlera de moi dans les journaux… »

11 Récit : succession d'événements

a. **Lisez l'article ci-dessous. Faites la chronologie des événements qui ont conduit le SDF (sans domicile fixe ou sans-abri) à devenir P.-D.G.**

Un SDF belge devient P.-D.G.

Il y a quatre ans, il était sans-abri. Aujourd'hui, il est à la tête d'une entreprise employant 39 personnes et espère s'implanter[1] aux États-Unis, en Grande-Bretagne, en Afrique et même en Asie. Pour ce chômeur chanceux qui n'a pas voulu révéler son identité, l'aventure a débuté le 19 novembre 1991. À la rue à l'âge de 31 ans, il devient ouvrier-plombier[2] alors qu'il ne connaissait rien à la plomberie. Après une réparation à domicile, un vieil homme, chimiste à ses heures, lui propose de se laver les mains avec un produit de sa composition. Le produit est tellement efficace que l'ancien SDF décide de le commercialiser début 1993. Les revues spécialisées n'hésitent pas à parler de « révolution dans le monde du détergent[3] » (…).

Aujourd'hui, l'entreprise compte parmi ses clients la première compagnie belge d'aviation, de grandes firmes automobiles et de nettoyage.

1. Implanter : s'installer
2. Plombier : artisan qui s'occupe des installations d'eau, de chauffage, etc.
3. Détergent : produit pour nettoyer

Le Républicain lorrain, 10 décembre 1995.

b. **Sur le modèle du texte ci-dessus et en utilisant les informations suivantes, faites le récit des débuts de la carrière de l'humoriste imitateur Patrick Sébastien.**

1953 : Naissance à Brives de Patrick Boutaut. Père inconnu. Élevé par sa mère qui travaille dans une usine.

1969 : Passe le bac. Entre à l'université pour être professeur. S'aperçoit vite que ce métier ne l'intéresse pas.

1970 : Père d'un garçon : Sébastien.

Joue au rugby. Apprécié par ses copains qu'il fait rire avec ses imitations de personnalités célèbres et ses histoires drôles.

1974 : Part seul à Paris. Il possède seulement 600 F[1]. Achète *Pariscope* et téléphone aux directeurs des cabarets.

Engagé en novembre au cabaret « La Main au Panier » avec d'autres imitateurs. Pour se différencier des autres, il travaille beaucoup les gestes et l'expression corporelle. Comme nom d'artiste il adopte celui de son fils.

1975 à 1979 : Participe à la première partie des spectacles de grandes vedettes. Son nom est en bas de l'affiche mais il commence à être connu.

Décembre 1979 : Il est la vedette du spectacle de l'Olympia. La salle est pleine. Il est devenu célèbre.

→ « Le véritable nom de Patrick Sébastien est Boutaut. Patrick Boutaut est né … »

1. = 91,47 €.

Leçon 6

VOCABULAIRE

1 Les verbes descriptifs

CARCASSONNE

Visite libre

La cité de Carcassonne s'élève sur une colline qui domine la ville basse et la campagne. Elle est entourée d'un double rempart. De nombreuses tours se dressent à intervalles réguliers.

Pour visiter la ville, il faut d'abord longer les remparts. Puis, monter au sommet de la plus haute tour pour admirer le paysage qui s'étend jusqu'aux montagnes des Pyrénées. Enfin, entrer dans la cité, se promener dans les petites rues qui sont bordées de boutiques, et visiter le château et l'église Saint-Nazaire.

Une promenade passionnante où l'on a l'impression de côtoyer les fantômes du Moyen Âge.

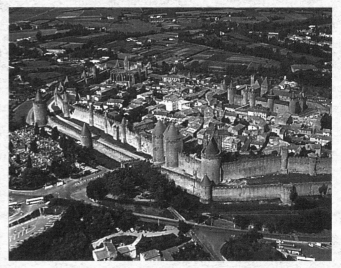

a. Lisez l'extrait du guide touristique ci-dessus.
   Relevez les verbes descriptifs. Représentez par un dessin symbolique le sens de ces verbes.

   Exemple : s'élever. ↗

b. Reformulez les phrases suivantes en utilisant un verbe descriptif ou un verbe de mouvement à la place de la préposition de lieu en italique.

   – *Autour de* la maison, il y a la forêt. → La maison est *entourée* par la forêt.

   – Nous avons marché *le long de* la rivière. → …

   – *Du haut du* château, on peut voir la vallée. → …

   – Pour aller au château, il faut passer *à travers* la vieille ville. → …

   – *Au bord de* la rivière, il y a des arbres. → …

2 Présenter une organisation

Utilisez les verbes du tableau
pour compléter le texte.

Pour introduire un élément	Pour relier une partie à un ensemble	Pour décrire un ensemble
il y a… exister se trouver être situé se voir – se rencontrer	appartenir faire partie de…	comprendre – comporter posséder – se composer de… se diviser en… – compter

Une personne qui travaille dans une maison d'édition parle de son entreprise.

« Je travaille dans une maison d'édition qui publie des livres pour enfants
et qui … du grand groupe de presse " CEP communications ". Nos bureaux …
à Paris dans le quartier de Montparnasse mais nous … plusieurs antennes en
province. Cette maison d'édition … plusieurs services : le service de l'édition
et le service commercial au premier étage, le service de la fabrication au
deuxième étage. Au rez-de-chaussée, il … aussi un service d'accueil du public
et une salle de documentation. Notre entreprise … environ trente salariés. »

3 L'histoire

a. Voici sept événements qui se sont produits dans l'histoire de la France.
Trouvez dans les tableaux les causes possibles et les conséquences
probables de chacun de ces événements.

Événements	Causes	Conséquences
• un changement de gouvernement • une révolution • une révolte populaire • un coup d'État • une guerre de conquête • une guerre de défense • une guerre coloniale	a. C'est l'anarchie dans le pays. b. Un pays étranger déclare la guerre. c. Une crise politique intérieure. d. Le désir de récupérer des territoires perdus. e. La pauvreté et la famine. f. Le désir de coloniser des peuples faibles. g. Le désir de mettre en place un nouvel idéal de société.	1. Il y a des émeutes dans les rues. 2. On mobilise l'armée. 3. Un homme prend le pouvoir. 4. On envahit un territoire étranger. 5. On prend possession des territoires. 6. On colonise un pays étranger. 7. On organise des élections. 8. On passe de la monarchie à la république. 9. On établit une nouvelle constitution. 10. Un nouveau gouvernement est installé.

b. Racontez brièvement un de ces événements à partir d'un exemple précis
de l'histoire de votre pays.

GRAMMAIRE

4 La forme impersonnelle
(expression des sentiments et des jugements)

a. Mettez en valeur les jugements, les sentiments et les opinions par des constructions impersonnelles.

Bavardages avant un départ en excursion.

– Nous aurons du mauvais temps. C'est très possible.

– Tout le monde doit emporter un imperméable. C'est nécessaire.

– On ne peut pas reporter l'excursion. C'est dommage.

– Non, on ne la reportera pas. C'est impossible.

– Je ne viendrai pas avec vous. C'est probable.

→ « Il est possible que... »

> La forme impersonnelle permet de mettre en valeur (en début de phrase) un sentiment, un jugement ou une opinion à propos de quelque chose.
>
> Deux constructions :
> – On porte le jugement sur une phrase complète :
>   Est-ce qu'il viendra ? Ce n'est pas certain.
>   → *Il n'est pas certain qu'il vienne.*
>
> – On porte le jugement sur une action (à l'infinitif) :
>   Voyager à prix réduits, c'est facile.
>   → *Il est facile de voyager à prix réduits.*

b. Même exercice.

Conseils à un étudiant en langue étrangère.

– Travaillez régulièrement. C'est très bon.

– Écoutez des cassettes. C'est très utile.

– Apprenez vingt mots par jour. C'est facile.

– Réunissez-vous entre étudiants pour vous entraîner. C'est possible.

– Lisez des journaux et des livres. C'est souhaitable.

→ « Il est bon de... »

5 Rapporter des paroles et des écrits au présent

Gisèle vient de recevoir une lettre de son amie Patricia. Elle communique le contenu de la lettre à son mari. Que dit-elle ?

→ « Je viens de recevoir une lettre de Patricia. Elle demande ... »

Ma Chère Gisèle,

Comment vas-tu ? Ça fait longtemps que je n'ai pas eu de tes nouvelles. Que devenez-vous, Gérard et toi ?

Est-ce que vous connaissez la nouvelle ? Nous venons d'avoir une petite fille. Elle s'appelle Faustine et elle est adorable.

Si vous êtes libres le 30 juin, venez à la petite fête que nous organisons !

6 Verbes introducteurs du discours rapporté

Le P.-D.G. d'une entreprise multinationale a réuni ses délégués étrangers
et s'exprime en anglais.

**Rapportez les principales phrases de son discours pour un délégué français
qui ne comprend pas l'anglais. Choisissez dans la liste le verbe qui convient
pour introduire chaque phrase.**

LE P.-D.G. :

La situation de notre entreprise est préoccupante.

Je ne devrais pas le dire, mais notre déficit est catastrophique.

Nous allons licencier 20 % du personnel.

Surtout ne le dites à personne !

Je ne vois pas l'avenir d'une manière optimiste.

Faites des économies dans le fonctionnement de votre service ! Étudiez
mieux les marchés ! C'est un conseil. Et pourquoi ne pas vous inspirer
des méthodes de la concurrence.

- annoncer
- avouer
- conseiller
- déclarer
- demander
- interdire
- révéler
- suggérer

VOUS :

→ « Le P.-D.G. déclare que la situation de notre entreprise est
préoccupante. Il... »

7 Expression de la certitude, du doute, de la possibilité, de la probabilité, etc.

Une optimiste et une pessimiste discutent des causes et des conséquences
des faits suivants. Chacun exprime ses doutes ou ses certitudes. Chacun
présente les causes et les conséquences comme possibles ou impossibles,
probables ou improbables.

Imaginez et rédigez les dialogues entre ces personnes.

Faits	Causes possibles	Conséquences possibles
• Le jeune Jérémie travaille mal au collège.	– Le programme ne l'intéresse pas. – Les professeurs ne sont pas sympathiques. – C'est la période de l'adolescence. – Il a une petite amie.	– Ce n'est que passager. – Il se fera renvoyer du collège. – Il finira gardien de musée.
• Mon directeur a été très froid avec moi ce matin.	– Il n'apprécie pas mon travail. – J'ai dit quelque chose qui l'a fâché. – Il a des problèmes personnels. – Ma nouvelle robe ne lui a pas plu. – Il est amoureux de moi.	– Je vais être sur la liste des prochains licenciés. – Il veut me cacher que je vais avoir une promotion. – Il va me changer de service.

→

LA PESSIMISTE : Jérémie travaille mal au collège. Je suis sûre que l'école
ne l'intéresse pas...

L'OPTIMISTE : Mais non, je suis persuadée que ce n'est que passager.
Il est possible que...

ÉCRITS ET ÉCRITURES

8 De la BD au récit

Lisez la bande dessinée de la page ci-contre.

a. **Dans les paires de phrases suivantes,
cochez la phrase qui correspond le mieux à l'histoire.**

1. Des témoins ont affirmé qu'un bébé était né avec une dent en or. ☐
   Des témoins ont assuré qu'une des dents d'un jeune enfant était en or. ☐

2. Quand ils ont appris la nouvelle les savants se sont posé des questions. ☐
   Quand ils ont appris la nouvelle les savants se sont inquiétés. ☐

3. Les savants se sont disputés à propos de ce phénomène. ☐
   Les savants ont donné plusieurs explications différentes
   du phénomène. ☐

4. On s'est finalement aperçu que la dent du bébé
   était recouverte d'une feuille d'or. ☐
   On s'est finalement aperçu que la dent en or du bébé
   était recouverte d'une feuille d'or. ☐

5. Les premiers témoins ont donc menti. ☐
   Les premiers témoins ont oublié de vérifier. ☐

b. **Pour chaque moment de l'histoire (chaque image),
imaginez un titre de presse.**

Exemple :

LE MYSTÈRE DU BÉBÉ À LA DENT D'OR

Nouvelle explication dans un article
de la revue « Nature »

c. **Rédigez le récit de cette histoire selon
les indications et le plan suivants :**

- **Début du récit :**
  l'explication finale (dernière image)

  → Utilisez le passé récent (on vient de ...), le passé
  composé (un dentiste s'est aperçu ...)
  et l'imparfait (l'adolescent avait ...)

- **Rappel des faits antérieurs**

  → Faites ce récit au présent
  (rappelons les faits ...). Utilisez les expressions
  de temps (en 19... - immédiatement ...
  quelque temps après ... pendant des années ...,
  etc.)

- **Conclusion :**
  rappel de l'explication finale
  et morale de l'histoire

  → Utilisez le présent (aujourd'hui on sait que ...).
  Faites une conclusion (cette histoire montre
  que ...)

CROYEZ-VOUS QU' « ILS » VÉRIFIENT LEURS INFORMATIONS ?

LES TÉMOINS SONT FORMELS : UN BÉBÉ VIENT D'AVOIR UNE DENT EN OR !

PERPLEXITÉ CHEZ LES SAVANTS...

... PUIS EXPLICATION DU PHÉNOMÈNE. ON ÉCRIT DES ARTICLES...

... ON PUBLIE DES LIVRES...

... QU'ON SONGE À EXAMINER L'ENFANT.

... CE N'EST QU'APRÈS PLUSIEURS ANNÉES DE DÉBATS PASSIONNÉS...

ÉVIDEMMENT LA DENT D'OR N'ÉTAIT QU'UNE DENT ORDINAIRE HABILEMENT PLAQUÉE. CETTE HISTOIRE A ÉTÉ ÉCRITE PAR FONTENELLE* IL Y AURA BIENTÔT 300 ANS.

Konk, *Aux voleurs*, Albin Michel, 1986.

*Fontenelle (1657-1757) : philosophe français connu pour ses réflexions sur la pensée scientifique.

À LA DÉCOUVERTE DES MOTS

9 La lettre non prononcée à la fin d'un mot

Il arrive souvent que les mots se terminent par une lettre qui n'est pas prononcée. On peut essayer de la découvrir en cherchant le féminin du mot ou un mot de la même famille :
un chat → une chatte ; produit → produite ; un rang → ranger

Mais attention, le procédé n'est pas toujours sûr !
un abri → abriter ; dix → dizaine

Justifiez la lettre finale de ces mots
par le féminin ou un mot de la même famille.

– Il est absent.

– Elle a le bras cassé.

– L'enfant est au bord de l'eau.

– Elle a fait un gros achat.

– Il a été séduit.

– On a entendu un coup de fusil.

10 Les consonnes doubles

Lisez le tableau et complétez les mots.

Voici quelques moyens pour savoir si une consonne est doublée (exemple : « amener » mais « emmener »).

1. La prononciation
  ss entre deux voyelles pour faire le son [s] :
  du poisson – du poison
  cc, gg, ill se prononcent souvent :
  accélérer – suggérer – une fille

2. Les mots terminés par -en ou -on font leur féminin en -enne ou -onne
  un chien / une chienne – bon / bonne

3. Après e muet ou é, è, ê, pas de double consonne
  j'appelle – nous appelons – il achète

4. Les adverbes finissant par le son (amã) doublent la consonne
  prudemment – lentement

5. Les mots commençant par ac, af, ef, of, ap doublent souvent la consonne
  un accordéon – une affaire – un effort – offrir – apparaître
  (mais il y a beaucoup d'exceptions)

a. Mon a…istant a eu un a…ident.

b. La fille…e est assi…e sur un cou…in.

c. Il est en pri…on pour avoir empoi…onné son cou…in.

d. La patro…e du restaurant a o…ert le champagne à ses clients.

e. L'é…ève a répondu calme…ent et sava…ent.

f. Il m'a su…éré d'ame…er Isabe…e à sa soirée.

g. Je me rappe…e que je dois appe…er la technicie…e pour une a…aire urgente.

h. Il a traversé le dé…ert du Sahara. Je l'ai a…ompagné.

11 Un mot, plusieurs sens

Certains mots peuvent avoir plusieurs sens.

Exemple :

un bouchon : morceau de liège utilisé pour boucher les bouteilles ;
                trafic routier bloqué (par un embouteillage).

Souvent il y a une relation entre ces différents sens.

Trouvez le mot qui correspond à chaque couple de définition.
Dans quels cas y a-t-il une relation entre les deux sens ?

a. – partie d'un appartement
   – monnaie en métal

b. – ce qui n'est pas haut
   – couvrent les jambes des femmes

c. – leçon, période d'enseignement
   – prix d'une valeur à la Bourse

d. – cambriolage
   – trajet en avion

e. – table pour écrire
   – lieu de travail

f. – organe qui fait circuler le sang
   – centre

g. – les écrivains en font
   – monnaie anglaise

h. – pièce dans une école
   – distinction, élégance

12 Emplois figurés du vocabulaire du corps

a. Donnez le sens des mots soulignés.

Exemple :

Marie a eu du nez… → Elle a eu une bonne idée.
                 Elle a fait preuve d'intuition.

La tête

- Jalabert est arrivé en tête de l'étape du Tour de France
- Les soldats sont au front.
- Le patron a toujours un œil sur le travail de ses employés.
- Ce jeune homme qui vient de sortir d'une grande école a les dents longues.

Les membres

- Je prendrai juste un doigt de Porto.
- Le bras d'un fleuve.
- Il a été à deux doigts d'avoir un accident grave.
- Il a une affaire délicate sur les bras.

Les organes

- Les Bergaud et leurs cinq enfants sont sortis. Enfin, on respire !
- Ses critiques me sont restées sur l'estomac.
- Gardez votre sang-froid.
- Quand elle m'a annoncé la nouvelle, j'ai eu un coup au cœur.

b. Formulez différemment les groupes de mots en italique en utilisant le vocabulaire du corps.

Exemple :

Il ne sait pas ce qu'il fait… → Il a perdu la tête.

- Depuis qu'il a gagné dix millions au Loto, Michel *ne sait plus ce qu'il fait.*
- *La partie du lit où repose la tête.*
- *L'entrée (ou la sortie)* d'une station de métro.
- C'est *le chef* de l'entreprise.

- *La partie basse* d'une lampe.
- *L'envers (le verso)* d'un papier écrit.
- Il y a *un virage* sur la route.
- Pouvez-vous m'*aider* à mettre un peu d'ordre ?

- *Le centre* de la ville.
- *Il a eu des nausées.*
- Dans l'entreprise, c'est lui *qui organise et qui dirige tout.*
- La forêt amazonienne *produit une partie importante de l'oxygène* du monde.

VOCABULAIRE

1 Le budget familial

a. Lisez ces statistiques sur la consommation des Français en 1970 et en l'an 2000 (prévision).

b. À quelle rubrique (1, 2, 3, etc.) du tableau ci-contre correspondent les dépenses ou achats suivants :

a. une facture de téléphone

b. un micro-ordinateur

c. un paquet de poisson surgelé

d. une cravate

e. un billet d'avion Toulouse-Paris

f. un lave-linge

g. un loyer

h. une facture d'EDF (Électricité de France)

i. une boîte de cachets d'aspirine

j. une encyclopédie

c. Quels types de dépenses ont augmenté ? ont diminué ? sont restées presque stables ?

Trouvez une explication à ces changements.

CONSOMMATION DES FRANÇAIS EN POURCENTAGE DES REVENUS		
	1970	**2000**
1. Produits alimentaires, boissons et tabac	26,0	16,5
2. Habillement (y compris chaussures)	9,6	5,1
3. Logement, chauffage, éclairage	15,3	19,0
4. Meubles, matériel ménager, articles de ménage et d'entretien	10,2	8,7
5. Services médicaux et de santé	7,1	16,4
6. Transports et communication	13,4	15,7
7. Loisirs, spectacles, enseignement et culture	6,9	8,6
8. Autres biens et services	11,5	10,0
CONSOMMATION TOTALE	100,0	100,0

Source INSEE, 1995.

2 Opérations mathématiques

Ils font des calculs à haute voix.
Écrivez et posez ces opérations.

Exemple : a. $3 \times 8 = 24$

a. Trois fois huit, vingt-quatre.

b. Douze moins trois égale neuf.

c. Vingt-cinq et quatre font vingt-neuf.

d. Vingt divisé par quatre, ça fait cinq.

e. Cinq et neuf font quatorze. Je pose quatre et je retiens un.
Un et trois font quatre, et sept font onze : cent quatorze.

f. Dix moins cinq, ça fait cinq. Six et un font sept.
Huit moins sept égale un : quinze.

3 Problèmes d'argent

Comment vous débrouillez-vous dans les situations suivantes ?

Exemple : a. Je demande une subvention à la mairie.

a. Avec des amis, vous avez décidé de créer un festival de musique dans votre ville.

b. Vous venez d'hériter de 45 000 €. Vous ne voulez pas les dépenser tout de suite.

c. Vous voulez acheter une maison de 120 000 €. Vous n'avez que 60 000 €.

d. Vous êtes étudiant. Vos parents ne peuvent vous donner que 150 € par mois.

e. Vous cherchiez à acheter un appartement. Vous l'avez trouvé. Mais le prix vous paraît élevé.

f. Vous êtes dans une librairie avec un ami. Vous voulez acheter un livre mais vous avez oublié votre portefeuille.

4 Le théâtre

Reliez les mots et les objets correspondants sur la maquette de théâtre.

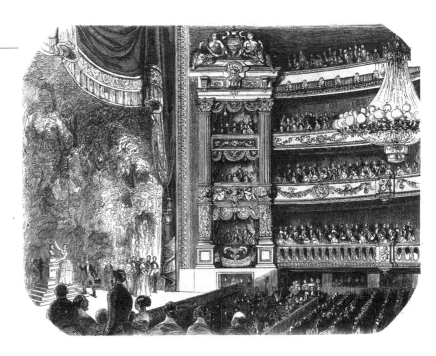

- le rideau
- la scène
- l'avant-scène
- le décor
- le lustre
- le balcon
- une loge
- le parterre
- un fauteuil

5 Les monuments

a. **Classez les édifices et monuments suivants selon le rôle qu'ils avaient à leur origine.**

■ une abbaye ■ un arc de triomphe ■ un aqueduc ■ des arènes ■ un autel ■ une cathédrale ■ une chapelle ■ un château ■ un donjon ■ un hôtel particulier ■ un palais ■ un pont ■ une pierre levée (un menhir) ■ un rempart ■ une statue ■ un temple ■ un théâtre antique ■ des thermes (des bains) ■ une tour

logement	défense	religion	commémoration	loisirs	urbanisme et vie quotidienne
…	…	une abbaye	…	…	…
…	…	…	…	…	…

b. **Dans quel lieu peut-on faire les activités suivantes ? Citez un lieu par activité.**

■ s'amuser ■ se baigner ■ se battre ■ célébrer un culte ■ combattre ■ se défendre ■ se distraire ■ dire une messe ■ se divertir ■ honorer quelqu'un ■ se loger ■ méditer ■ prier ■ se protéger

GRAMMAIRE

6 Le conditionnel : temps du rêve et de l'imaginaire

Il rêve de vivre au XVIIIe siècle.
Rédigez son rêve en utilisant le conditionnel présent.

Ah ! Vivre au XVIIIe siècle… Je possède un château et une petite fortune… Je fréquente les philosophes Voltaire et Diderot. Ensemble, nous travaillons à l'avenir des sciences et nous préparons la Révolution…
Mes enfants étudient avec des précepteurs.
Ma femme ne fait plus les travaux ménagers.
Nous avons une vingtaine de domestiques…
Elle s'intéresse aux sciences et aux arts et les plus beaux esprits du siècle viennent dans mon salon. Et toi, chère collègue de travail, tu es ma maîtresse car il est normal d'avoir une maîtresse au XVIIIe siècle…

→ « Ah, si je vivais au XVIIIe siècle, je posséderais… »

7 Relancer la conversation par une hypothèse

Il y a des gens qui ne vont jamais à l'opéra, qui ne font jamais de sport, etc.
Pour les faire parler de ces sujets, posez une question en forme d'hypothèse.

Exemple : Pierre ne part jamais en voyage à l'étranger.
– Si un jour tu partais en voyage à l'étranger, où irais-tu ?

Entraînez-vous avec les situations suivantes :

– M. et Mme Crémer n'ont pas d'animaux domestiques.

– Sébastien n'a pas changé de voiture depuis vingt ans.

– Sylvie a toujours fait le même travail.

– Paul ne lit jamais aucun livre.

– M. et Mme Arnaud n'ont pas d'enfants.

8 Petits problèmes quotidiens

Sauriez-vous vous débrouiller en France, dans les situations suivantes.
Répondez comme dans l'exemple.

Exemple : Vous avez garé votre voiture sans regarder si le stationnement était autorisé. À votre retour, votre voiture a disparu.

→ Si ma voiture n'était plus là, je téléphonerais d'abord à la fourrière*.
Si elle n'était pas à la fourrière, j'irais faire une déclaration de vol à la police, puis à mon assurance.

*Fourrière : lieu où l'on met les voitures qui ont été enlevées par la police
pour cause de stationnement interdit ou gênant.

a. Vous êtes invité(e) à dîner chez des gens que vous connaissez peu.
À quelle heure arrivez-vous ? Qu'apportez-vous ?

b. Vous et votre conjoint (mari, épouse) venez travailler en France.
Vous avez deux enfants (1 an et 2 ans). Que faites-vous de vos enfants
pendant vos heures de travail ?

c. Vous êtes en voyage en France. On vous vole vos papiers et votre argent.

d. Votre voisin d'appartement fait beaucoup de bruit jusqu'à trois heures
du matin (télévision, soirées entre amis, etc.).

9 Les prépositions *à* et *de*

Lisez le tableau et complétez les phrases avec *à* (*au*, *aux*) ou *de* (*du*, *des*).

Attention ! Les indications de ce tableau ne sont pas des règles absolues mais plutôt des tendances générales.

Espace et temps
à marque une fixation, une direction vers…
de marque une provenance ou une rupture.

Communication
à marque le destinataire.
de marque la provenance du message ou le message lui-même.

Appartenance
de marque en général l'appartenance, le contenu, l'inclusion, la matière (mais : être *à*… appartenir *à*…).

Cause et but
de marque la cause, l'agent, l'origine.
à marque le but, la fonction.

Moyen et manière
à marque en général le moyen et la manière.

Intentions, attitudes, sentiments
de est utilisé dans les constructions *être* + adjectif + *de* + verbe ; *avoir* + nom + *de* + verbe (être content *de*… avoir envie *de*…) et quand il y a une idée de rupture.
à est utilisé quand il y a une idée de « direction ».

Expression de l'espace et du temps

- Ce train vient … Paris. Il va … Marseille. Il est parti … Paris … 8 h 25.
- Le matin, je travaille … 9 heures … midi. L'après-midi, je commence … travailler … 14 heures et je m'arrête … travailler à 18 heures.
- Michel vient … partir. Il amène ses enfants … l'école. À midi, il reste … bureau.

Expression de la communication

- Elle a téléphoné … ses parents. Elle leur a parlé … ses difficultés financières.
- Un courrier … ministère a été adressé par erreur … mon voisin.

Appartenance, cause, but, moyen, manière

- Damien fait partie … l'équipe de handball de son lycée.
- Tous les matins, elle boit un verre … lait.
- J'offre le champagne. Est-ce que vous avez des coupes … champagne ?
- Je meurs … faim. Je vais manger un morceau … pain et du fromage. Où est passé le couteau … pain ?
- Il connaît … mémoire plusieurs poèmes de Victor Hugo.
- Elle a traversé la rivière … la nage.
- Il est accusé … vol.

Verbes exprimant des intentions, des pensées, des attitudes

- Les parents interdisent à leurs enfants … sortir dans la rue mais ils les autorisent … jouer dans le jardin.
- Pierre pense souvent … Marie. Il est toujours heureux … la voir. Il aimerait arriver … l'inviter au restaurant mais il a peur … l'ennuyer.
- Mon directeur m'oblige … faire des heures supplémentaires. Je suis bien obligé … les faire.

ÉCRITS ET ÉCRITURES

10 Les lettres de demande

Voici des lettres ou des « petits mots » (billets) qui expriment une demande. Ces documents ne sont pas toujours complets.

Lisez ci-contre le plan d'une lettre de demande.

Lisez chaque document et complétez le tableau.

> **Rappel du plan d'une lettre de demande** (voir le livre de l'élève, p. 67).
> • Exposé de la situation ou du problème.
> • Exposé de la demande proprement dite.
> • Argumentation complémentaire.
> • Remerciements et formule finale (voir le livre de l'élève, p. 174).

Qui écrit ?	À qui écrit cette personne ?	Motif de la lettre (objet de la demande)	Type de lettre (familière/officielle)	La lettre est-elle complète ? Quelles sont les parties qui manquent ?
…	…	…	…	…
…	…	…	…	…

1.

> Lorsque j'ai été engagée comme secrétaire de direction trilingue, le 15 septembre 1995, vous m'avez assurée que mon salaire serait reconsidéré au bout d'un an.
>
> Aussi, vous serais-je très reconnaissante de bien vouloir m'accorder un entretien pour que nous parlions de la révision de mon salaire.
>
> Dans l'attente de cet entretien, je vous prie d'agréer, Monsieur le Directeur, l'expression de mes salutations distinguées et de mon dévouement à l'entreprise.

2.

> Angers, le 28 avril 1995
>
> Cher Patrick,
>
> Ce petit mot pour te demander de m'envoyer les documents que je t'ai prêtés il y a deux mois sur les maladies infectieuses. J'en ai un besoin urgent pour un exposé.
>
> Pourrais-tu me les faire parvenir assez vite ?
>
> Merci – Amicalement – Lucie

3.

```
Aurélien Benel
3, rue de la Gare
60000 Beauvais

                          Université de Picardie
                      Service des Bourses (Doctorat)



Madame, Monsieur,

    Je vous serais reconnaissant de bien vouloir m'envoyer un formulaire
de demande de bourse (1re année de doctorat en sciences de l'éducation)
pour l'année scolaire en cours.
```

4.

Pourriez-vous avoir la gentillesse de ne pas garer votre voiture devant mon garage.

Merci.

5.

Le relevé de compte du mois de mai que vous venez de m'envoyer comporte, me semble-t-il, une erreur et le solde ne correspond pas à mes propres calculs.

6.

D'une part, pour des raisons de service, je n'ai pas pris tous les congés que je devais prendre en 1995. Si mes calculs sont exacts, il me reste encore une semaine complète à rattraper.

D'autre part, l'hospitalisation de mon épouse et la garde de mes deux enfants sont actuellement difficilement compatibles avec mes activités professionnelles.

7.

Monsieur le Professeur,

J'ai appris que vous organisiez en juillet prochain un stage d'archéologie en Grèce.

Ce stage est en principe réservé aux étudiants de l'université de Montpellier. Je suis étudiant en 3e année d'archéologie à l'université de Marseille et je souhaiterais vivement pouvoir y participer.

11 Rédiger une lettre de demande

Complétez les fragments de lettres de l'exercice précédent selon les instructions.

• Document 1

Rédigez une ou deux phrases pour argumenter la demande d'augmentation de salaire de la secrétaire bilingue.

Exemples d'arguments :

Elle a toujours été ponctuelle. Son travail a toujours donné satisfaction. Elle s'entend bien avec ses collègues, etc.

• Document 5

L'auteur de la lettre vient d'exposer sa situation.

Rédigez sa demande proprement dite (voir les formules de demande dans le livre de l'élève, p. 67).

• Document 6

D'après le fragment de lettre, imaginez la phrase d'introduction de la lettre et la phrase de demande.

• Documents 1, 3, 5, 7

Pour chacune de ces quatre lettres de demande, rédigez une phrase finale et trouvez une formule de politesse appropriée.

VOCABULAIRE

1 Création d'une pièce de théâtre

Remettez dans l'ordre les différentes étapes de la création
d'une pièce de théâtre.

a. Les répétitions commencent.

b. Le metteur en scène choisit les acteurs. Ceux-ci passent des auditions.

c. On invite la presse à une avant-première de la pièce.

d. Le directeur du théâtre et le metteur en scène
   choisissent de monter une pièce.

e. Le rideau se lève sur la première représentation.

f. On fabrique les décors et les costumes.

g. Les acteurs apprennent leur rôle.

h. Les acteurs et le metteur en scène
   font la promotion de la pièce à la télévision.

i. Les acteurs améliorent leur interprétation.

2 Mise en scène

Vous devez faire la mise en scène de cette scène
de *Carmen* pour le cinéma ou le théâtre.
Préparez cette mise en scène.

a. **La distribution** : les acteurs principaux,
   les figurants.
   Quelles qualités doivent-ils avoir ?

b. **Les accessoires** : faites la liste des objets
   qu'il vous faudra trouver.

c. **Le décor** : choisissez un lieu réel si vous faites
   un film ; dessinez un décor si vous montez
   une pièce.

d. **Les déplacements et les gestes** : faites la liste
   chronologique des mouvements et des gestes
   des personnages.

*La jeune Carmen a blessé une de ses collègues
de travail. Elle est conduite à la prison par
Don José, un officier des dragons (corps militaire).*

(Don José est le narrateur.)

Je la mis entre deux dragons et je marchais derrière
comme un brigadier doit faire en semblable
rencontre. Nous nous mîmes en route pour la
ville.

*En chemin Carmen va séduire Don José
et le convaincre de la laisser s'échapper.*

En ce moment, nous passions devant une de ces
ruelles étroites comme il y en a tant à Séville.
Tout à coup Carmen se retourne et me lance un
coup de poing dans la poitrine. Je me laissai
tomber exprès à la renverse. D'un bond, elle saute
par-dessus moi et se met à courir […]. Moi, je me
relève aussitôt ; mais je mets ma lance en travers,
de façon à barrer la rue, si bien que de prime
abord les camarades furent arrêtés au moment de
la poursuivre. Puis je me mis moi-même à courir,
et eux après moi ; mais l'atteindre ! Il n'y avait pas
de risque avec nos éperons, nos sabres et nos
lances ! En moins de temps que je n'en mets à
vous le dire, la prisonnière avait disparu.
D'ailleurs, toutes les commères du quartier
favorisaient sa fuite et se moquaient de nous, et
nous indiquaient la fausse voie.

P. Mérimée, *Carmen*, 1845.

3 Mouvements et actions

Vous êtes scénariste de cinéma. Un producteur vous demande d'imaginer plusieurs scénarios à partir de la scène suivante.

Faites la liste des mouvements et des actions des personnages.
Utilisez le vocabulaire du livre de l'élève, p. 74.

Scène : un chevalier du Moyen Âge va délivrer sa bien-aimée prisonnière dans la plus haute tour d'un château.

Scénario 1, pour un film historique.

Scénario 2, pour un film comique. Prévoyez des situations comiques ou parodiques. Par exemple, le chevalier du Moyen Âge se retrouve transporté au XXe siècle.

Exemple :

Film historique	Film comique
Le chevalier galope vers le château. Il escalade des montagnes…	Pour éviter les embouteillages, le chevalier contourne la ville et prend la déviation B. 43.

Les Visiteurs,
film de J.-M. Poiré.

4 Emplois figurés des verbes exprimant un mouvement

Complétez avec un verbe de la liste (ou son participe passé).

– À Paris, les prix des logements ont … . Ils sont passés de 3 000 à 3 500 € le m². Les affaires des promoteurs immobiliers … bien. Ils viennent de … une grande opération publicitaire.

– Antoine est très … par le mystère des extraterrestres. C'est sa passion. Il y a vingt ans qu'il … sur ce sujet. Il ne pense qu'à ça et ne peut … de cette préoccupation.

– Pour réussir à son examen, Charlotte a beaucoup travaillé. Elle s'est vraiment … . Pendant un mois, elle a travaillé dix heures par jour sans … son attention.

– Il fait moins 10 degrés. Mettez des vêtements chauds ou … de sortir ! Vous risquez d' … froid.

- ■ s'accrocher
- ■ attirer
- ■ attraper
- ■ se détacher
- ■ éviter
- ■ grimper
- ■ lancer
- ■ marcher
- ■ se pencher
- ■ relâcher

GRAMMAIRE

5 Les pronoms interrogatifs – choisir

Voici des situations où les personnes doivent choisir.
Complétez les questions posées en utilisant un pronom interrogatif
et un verbe de la liste.

Exemple : a. « Voici trois épreuves. Laquelle choisissez-vous ? »

a. Le photographe aux jeunes mariés :
   « J'ai développé les photos. Voici trois épreuves … »

b. Un amateur de cinéma à son amie :
   « On peut aller voir le dernier film de Tavernier ou celui d'Almodovar … »

c. L'entraîneur de l'équipe au président du club :
   « J'ai fait une liste de vingt joueurs possibles pour l'équipe qui doit
   rencontrer le Real Madrid … »

d. Le directeur de l'entreprise à son adjoint :
   « Pour notre journée " portes ouvertes " il nous faut trois jeunes femmes
   à l'accueil … »

e. Le directeur de l'entreprise à son adjoint :
   « Nous avons trois candidatures valables pour le poste
   de directeur commercial … »

- choisir
- désigner
- préférer
- retenir
- sélectionner

6 Les pronoms possessifs et démonstratifs

Les comédiens se préparent pour le spectacle.
Ils sont dans la salle des costumes et des accessoires.

Complétez avec des pronoms possessifs ou démonstratifs.

– Cette épée n'est pas à moi. Patrick ! C'est *la tienne* ?

– Non, ce n'est pas … . C'est … de François.

– Et ces casques ? À qui ils sont ? Ce ne sont pas … . Nous ne portons pas de
casques dans la pièce.

– Ce sont … de Frédéric et d'Alexandre. Hé ! Frédéric ! Alexandre ! Il y a deux
casques ici. Ce sont … ?

– Oui, ce sont … . Justement on les cherchait.

– Cette robe de servante est à Bénédicte et … , c'est … de Sabine,
je la reconnais. Et ces deux ceintures dorées ?

– Je crois que ce sont … de Marianne et d'Estelle. Oui, ce sont …

7 Définir un objet ou une personne

Lisez le tableau et
donnez une définition
des mots ou des objets.

Pour définir un objet ou une personne, on utilise souvent la construction :

c'est… $\left\{ \begin{array}{l} \text{nom à sens général} \\ \text{pronom démonstratif} \end{array} \right\}$ + pronom relatif + proposition relative

Exemples :
La coiffe, c'est ce que les vieilles femmes bretonnes mettent sur leur tête.
Le conseiller d'orientation, c'est celui qui conseille les étudiants sur leur avenir professionnel.
Le médiateur, c'est un fonctionnaire qui règle les conflits entre l'administration et les gens.

Un metteur en scène présente son théâtre à un groupe d'enfants.

– Vous voyez, ça, c'est *le trou du souffleur*, c'est …

– Là-haut, vous voyez *des projecteurs* …

– Ces personnes, ce sont *les machinistes* …

– Voici *la maquilleuse* …

Un inventeur présente ses nouvelles inventions.

→ « Voici une table qui… »

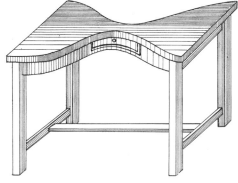

Table tête-à-tête

Couteau-à-tarte

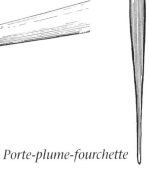

Porte-plume-fourchette

J. Carelman, *Catalogues d'objets introuvables*, © André Balland, 1969.

8 Expression de la possession

Dans le film policier *Les Cinq Dernières Minutes*, le commissaire Massard révèle la vérité sur le mystérieux M. King.

Complétez avec les verbes ou expressions de la liste.

« Monsieur King, vous êtes … de plusieurs grandes sociétés multinationales. 200 000 employés … de vous. Vous … une immense fortune et un château en Sologne. Les dix voitures garées dans la cour vous … .

Vous … dans votre coffre-fort une importante collection de tableaux de maîtres. Vous … aussi de trois passeports : américain, anglais et français. Mais ce sont tous des faux. Vous n'êtes pas M. King. Vous êtes son sosie. »

- appartenir
- dépendre (de)
- détenir
- disposer (de)
- être à la tête de
- posséder

9 Propositions relatives

Dans son *Guide du nouveau savoir-vivre*, P. Le Bras a répertorié les objets qui sont souvent cause de conflits familiaux.

Complétez les phrases comme dans l'exemple avec une proposition relative.

Exemple :

Les chaussures *qui traînent au salon.*

– Les cendriers …

– Les clés …

– La vaisselle …

– Les stylos …

– Le couvert …

– La note de téléphone …

– La musique …

– La télévision …

– Les lampes …

ÉCRITS ET ÉCRITURES

10 Instructions, directives, conseils

Lisez le document suivant.
Il propose quatre exercices pour guérir le mal au dos.

Pour les deux premiers exercices (*Bascule latérale des genoux* et *Étirements croisés*), réalisez un dessin d'illustration.

Pour les deux exercices qui sont présentés sous forme de dessins, rédigez des instructions.

QUATRE EXERCICES POUR LE MAL AU DOS

Mal de dos, mal du siècle ? La sédentarité* et le stress sont peut-être responsables de la fréquence de ce mal dans notre civilisation.

Renforcer et assouplir les muscles du bas du dos vous aidera à prévenir les douleurs. Les exercices qui suivent vont du plus simple au plus difficile. Si un exercice fait naître une douleur, arrêtez-vous et ne recommencez pas.

• **Bascule latérale des genoux.** Étendu sur le dos, les bras écartés pour un bon appui au sol, soulevez les genoux vers la poitrine, puis basculez-les doucement vers la droite puis vers la gauche en gardant si possible les épaules au sol. Roulez de 10 à 20 fois.

• **Étirements croisés.** À quatre pattes, étendez lentement le bras droit devant vous ; en même temps, allongez la jambe gauche derrière, étirez et tenez la position cinq secondes ; revenez à votre position initiale et allongez le bras gauche et la jambe droite. Répétez 10 fois.

* Sédentarité : le fait de faire peu d'exercice physique.

Extension des jambes

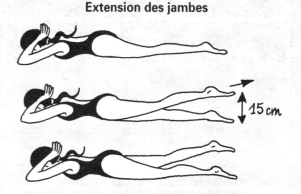

Élévation alternative des jambes

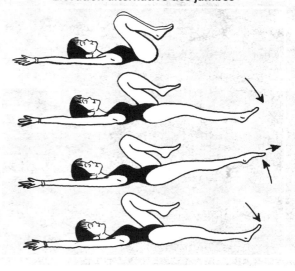

Le Livre de l'astucieux, 1992, Sélection du Reader's Digest.

11 Trucs et astuces

Un astucieux est quelqu'un qui trouve toujours une solution (un truc) dans les situations difficiles.

Voici quelques idées qui peuvent rendre service :

IMPROVISER UNE MISE DE TABLE

En voyage ou dans des circonstances inattendues, vous pouvez être amené à faire un repas improvisé sans assiette ni couverts. Un certain nombre d'objets peuvent vous dépanner après, bien sûr, avoir été soigneusement nettoyés.

1. Comme couteau, vous pouvez utiliser une lime à ongles en métal, un coquillage à bord plat ou le côté tranchant d'une boîte en aluminium.

2. Comme assiette (...)

DÉCOLLER UN TIMBRE
D'UNE ENVELOPPE SANS L'ABÎMER

Pour ôter un timbre d'une enveloppe pour une collection, laissez le tout dans le congélateur pendant une nuit, puis glissez une lame entre le timbre et l'enveloppe.

VOIR UN OBJET ÉLOIGNÉ
SANS JUMELLES

Pour voir clairement sans jumelles un objet ou un site éloigné, fermez un œil et, avec l'autre, regardez l'objet au travers d'un tube en carton ou en formant un tube avec la main. Votre regard, guidé et concentré sur l'objet, sera beaucoup plus perçant.

DÎNER ORIGINAL

Vous organisez un dîner et vous le voulez teinté d'originalité.

1. Lancez un thème dont dépendront plats, boissons, décor ou musique. Organisez un buffet « international ». Élaborez des menus composés de l'entrée au dessert uniquement de poisson et de fruits de mer, de légumes, de champignons (si vous êtes expert en cette matière), etc.

2. Demandez à chaque invité de cuisiner un plat en secret et de l'apporter. Votre participation consistera à « orchestrer » la composition du menu tout en gardant le secret.

3. Au moment de l'apéritif, servez des amuse-gueules élaborés et substantiels, comme cela se fait sur les rivages de la Méditerranée, par exemple : olives marinées et farcies, petits piments, crevettes et sardines grillées, coquillages, oursins…

Le Livre de l'astucieux, 1992, Sélection du Reader's Digest.

Continuez ce document.
Imaginez comment on peut improviser une assiette, une fourchette, une cuillère, un verre ou une tasse, une table, des sièges, etc.

Utilisez le vocabulaire de la fonction et de la fabrication.

> « On peut utiliser … employer … se servir de … »

> « Cet objet sert de (+ nom) ; sert à (+ verbe) … »

> « On peut facilement fabriquer … confectionner … etc. »

Lisez les conseils ci-contre.
Connaissez-vous des trucs, des astuces pour résoudre des problèmes pratiques ?

Par exemple :

– pour que les plantes vertes de votre appartement ne meurent pas pendant vos vacances ;

– pour rester en forme quand vous devez conduire pendant dix heures ;

– pour réussir une mayonnaise, pour faire cuire le riz sans qu'il colle…

Présentez brièvement l'un de ces trucs.

Conseils pour être original

Découvrez ci-contre trois façons d'organiser un dîner original.

Relevez le vocabulaire de la nourriture et cherchez dans un dictionnaire le sens des mots que vous ne comprenez pas.

Résumez en deux ou trois mots chacune des trois propositions.

Présentez au choix :

– une autre façon d'organiser un dîner original ;

– une façon d'organiser un dimanche après-midi original entre amis ;

– une façon d'organiser une soirée originale.

VOCABULAIRE

1 Les sentiments

a. Qu'éprouvez-vous, que dites-vous dans les circonstances suivantes ?

a. Vous avez invité un ami dans un grand restaurant. Il mange avec ses doigts et insulte les serveurs.

b. C'est la quatrième fois que vous essayez de passer un examen. Sans succès.

c. Votre fille est reçue « première » au concours d'entrée d'une grande école.

d. Votre meilleur ami et votre meilleure amie ont décidé de se marier.

e. Vous n'avez pas eu de nouvelles d'un ami depuis dix ans. Il vient de vous écrire.

f. Un ami vous a promis de venir vous aider à emménager dans votre nouvel appartement. Il ne vient pas, sans donner de raisons.

g. Vous avez passé quinze jours à préparer une soirée originale pour vos amis. Malheureusement, ce soir-là, il y a la finale de la Coupe du monde à la télé. Presque personne ne vient.

Exemple : → a. J'éprouve de la honte. Je ne sais plus où me mettre.
Je lui dis : « Tu me fais honte ! Tu n'as pas honte de… »

b. Vous racontez ces anecdotes à un(e) ami(e). À propos de quelle(s) situation(s) diriez-vous les phrases suivantes ?

1. C'est une crack ! ↻
2. Je n'en reviens pas. surprise ?
3. Je me suis fait tout(e) petit(e). ✆
4. Je n'aurai plus jamais confiance en lui.
5. C'est super ça !
6. Ils ne perdent rien pour attendre.
7. J'ai vraiment pas de veine !
8. Je ne supporte pas ça.

2 Le cinéma : trucages et effets spéciaux

Lisez l'article page 57.

a. Faites la liste des différentes techniques de trucage qui sont décrites.

Exemple : Film *Tron* → le décor et les objets sont des images créées par ordinateur.

b. Relevez tous les mots qui appartiennent aux deux thèmes suivants :

– L'idée de changement.

– L'idée de faux et d'illusion.

c. Imaginez par quels trucages les scènes représentées sur les photos ont été possibles.

Trucages et effets spéciaux au cinéma

Les auteurs de l'article viennent de parler des techniques traditionnelles de trucage au cinéma. Ils abordent maintenant les nouveaux procédés d'images numériques (images créées par ordinateur). Ils interrogent Christian Guillon, spécialiste des trucages.

Plus révolutionnaires, les images numériques apparaissent au début des années 80 avec le film *Tron*. Pour la première fois dans l'histoire du cinéma, un acteur se retrouve à l'écran en compagnie de décors et d'objets qui n'ont pas d'existence réelle. Ce n'est qu'un début. En 1988, les responsables des effets spéciaux de *Willow* inventent la technique du morphing et parviennent, par calculs successifs, à métamorphoser une sorcière en tigre. D'un seul coup, les transformations de loups-garous à base de multiples maquillages deviennent obsolètes.

Dans les nombreuses scènes truquées de *Forrest Gump*, sorti à l'automne dernier, les manipulations sont indécelables. Dans ce film, l'acteur Tom Hanks, filmé sur un fond bleu, est incorporé dans des images d'archives à côté de Kennedy. Et les deux personnages dialoguent ! « Depuis quelques années, on sait modifier les mouvements de lèvres et faire dire à un personnage des paroles qu'il n'a jamais prononcées, poursuit Christian Guillon. Dans un an, on pourra probablement lui faire faire des gestes inventés…»

Le numérique a désormais dépassé le stade du tour de force technique et commence à être utilisé dans les films ordinaires, ceux où les effets spéciaux sont invisibles mais bien présents. Une production française comporte ainsi une moyenne de trente plans truqués. Dans *Jean de Florette*, par exemple, la scène où Gérard Depardieu tombe à genoux et remercie le ciel de lui donner de la pluie a été tournée par temps clair. Et l'orage, rajouté à la post-production !

François Persuy et Alain Biclik

Ça m'intéresse, février 1995.

Terminator 2
L'Homme invisible
Qui veut la peau de Roger Rabbit
Jumanji

QUELQUES TRUCAGES TRADITIONNELS

LA PLUIE
Dans la plupart des cas, au cinéma, elle est artificielle. La vraie pluie s'avère souvent trop fine pour être visible par les caméras et… elle a l'air d'être fausse.

LA NEIGE
C'est du savon industriel réduit en particules dans une machine spéciale, puis projeté en l'air à l'aide de pompes. Au sol, ce sont des billes de polystyrène.

LES IMPACTS DE BALLE
L'acteur porte sous son costume une protection en plomb sur laquelle est collée une capsule explosive télécommandée. Au moment voulu, la capsule explose et perfore le tissu fragilisé à coups de rasoir ou d'acide. Pour un impact au visage, on utilise des fusils à air comprimé tirant une capsule remplie de faux sang ou un front postiche dans lequel on intègre une poche de sang.

LA NUIT
On l'obtient grâce à un filtre appelé « nuit américaine ».

GRAMMAIRE

3 Le plus-que-parfait

Continuez les phrases en mettant les verbes entre parenthèses au plus-que-parfait.

a. Je n'avais pas faim, hier soir, au dîner de Constance.
Au repas de midi, j(e) ... (*trop manger*).

b. Pour notre première journée aux sports d'hiver, nous n'étions pas
en forme. Nous ... (*voyager une partie de la nuit – se coucher tard*).

c. Nous avions rendez-vous à 7 heures pour aller au cinéma.
Mais j'ai été retardé. Quand j'ai sonné chez toi, tu ... (*partir – déjà*).

d. Bruno et Myriam se sont enfin mariés.
Pendant des années, ils ... (*se fréquenter – faire des voyages ensemble*).

e. Un incendie a détruit la boîte de nuit.
Il ... (*être allumé par un client mécontent*).

4 *Avant (que...) – Après (que...)*

Constructions avec *après* et *avant*.

– J'ai travaillé *après* son départ.
– J'ai travaillé *après* qu'il est parti.
– J'ai travaillé *après* avoir déjeuné (1) (après être monté dans mon bureau).

– Nous avons bavardé *avant* son départ.
– Nous avons bavardé *avant* qu'il parte.
– J'ai déjeuné *avant* de travailler (1).

(1) Construction possible quand les deux verbes ont le même sujet.

a. **Transformez les trois phrases suivantes en utilisant l'une des trois constructions du tableau ci-contre avec *après*.**

Éric a essayé plusieurs fois de joindre son amie par téléphone.

– Je suis arrivé au bureau ; puis je t'ai téléphoné.

– Le directeur a réuni le personnel ; ensuite je t'ai rappelée.

– Nous avons déjeuné ; puis j'ai encore essayé de t'avoir au téléphone.

b. **Transformez les trois phrases suivantes en utilisant l'une des trois constructions ci-contre avec *avant*.**

Préoccupation d'une actrice mère de famille.

– Ce soir nous avons une répétition. Je dois savoir mon rôle.

– Les enfants vont arriver de l'école. Je dois préparer le repas.

– Les enfants doivent faire leurs devoirs ; puis ils dîneront.

5 Rétrospective

a. Lisez l'article suivant. Reconstituez la chronologie des informations.
    Identifiez le temps des verbes.

Paul-Émile Victor, des pôles à Bora-Bora

Polynésie, mardi 7 mars 1995.

Figure emblématique de l'aventure française dans les terres australes, Paul-Émile Victor (28.6.1907) est mort sur l'archipel où il s'était retiré. Explorateur, ethnologue, il avait été l'un des pionniers dans les années 30 de la recherche polaire. Après avoir passé près de quatorze mois chez les Inuits du Groenland, il avait fondé en 1947 les Expéditions polaires françaises qu'il a dirigées jusqu'en 1976.

Chroniques de l'année 1995, © Jacques Legrand S.A., 1996.

b. Imitez l'article ci-dessus. Rédigez un petit article à l'occasion de la mort du chanteur Serge Gainsbourg (1991).
    Utilisez les informations suivantes. Commencez votre article en annonçant le décès du chanteur.

Serge Gainsbourg est né en 1928. Il veut être peintre mais il devient pianiste de bar. En 1959, sa chanson « Le poinçonneur des Lilas » choque un certain public mais le fait connaître.

Il compose ensuite des chansons pour les stars de la chanson et du cinéma (Brigitte Bardot, Isabelle Adjani, Vanessa Paradis). Ce sont toutes des succès. C'est un provocateur. Sa « Marseillaise reggae » scandalise les bourgeois.

À partir des années 80, il devient le chanteur préféré des jeunes.

6 Le discours rapporté

Transformez cet extrait de *L'Étranger* de Camus en dialogue.
Relevez toutes les indications qui pourraient être utiles pour une mise en scène.

Le narrateur (Meursault) a rencontré une ancienne amie. Il a une liaison avec elle.

> Le soir, Marie est venue me chercher et m'a demandé si je voulais me marier avec elle. J'ai dit que cela m'était égal et que nous pourrions le faire si elle le voulait. Elle a voulu savoir alors si je l'aimais. J'ai répondu comme je l'avais déjà fait une fois, que cela ne signifiait rien mais que sans doute je ne l'aimais pas. « Pourquoi m'épouser alors ? » a-t-elle dit. Je lui ai expliqué que cela n'avait aucune importance et que si elle le désirait, nous pouvions nous marier. D'ailleurs, c'était elle qui le demandait et moi je me contentais de dire oui. Elle a observé alors que le mariage était une chose grave. J'ai répondu : « Non ». Elle s'est tue un moment et elle m'a regardé en silence. Puis elle a parlé. Elle voulait simplement savoir si j'aurais accepté la même proposition venant d'une autre femme, à qui je serais attaché de la même façon. J'ai dit : « Naturellement ». Elle s'est demandé alors si elle m'aimait et moi, je ne pouvais rien savoir sur ce point. Après un autre moment de silence, elle a murmuré que j'étais bizarre, qu'elle m'aimait sans doute à cause de cela mais que peut-être un jour je la dégoûterais pour les mêmes raisons. Comme je me taisais, n'ayant rien à ajouter, elle m'a pris le bras en souriant et elle a déclaré qu'elle voulait se marier avec moi. J'ai répondu que nous le ferions dès qu'elle le voudrait.

Albert Camus, *L'Étranger*, Gallimard, 1957.

→

MARIE : Est-ce que tu voudrais te marier avec moi ?

MEURSAULT : …

ÉCRITS ET ÉCRITURES

7 Exprimer des sentiments

a. Lisez les six documents de la page 61 comme s'ils vous concernaient personnellement. Identifiez les situations.

– Vous apprenez par le journal que quelqu'un que vous connaissiez est mort.

– Vos parents se plaignent de ne pas avoir de vos nouvelles.

– Des amis vous apprennent qu'ils ont un bébé.

– Un(e) ami(e) vous annonce une réussite.

– Un(e) ami(e) vous demande de lui prêter de l'argent.

– Un(e) ami(e) vous parle de la mauvaise santé de sa mère.

b. Imaginez que vous répondez à chacun de ces documents. Pour chaque lettre, rédigez :

1. une phrase pour dire les sentiments que vous éprouvez,
2. une phrase pour exprimer les sentiments que votre interlocuteur doit éprouver.

Utilisez les formules et les mots du tableau ci-contre.

Exemple : Doc. 1. : C'est avec beaucoup de plaisir que j'ai appris la naissance de… Vous devez être…

c. Pour chaque document, exprimez (en une phrase) un souhait, un espoir ou un vœu.

– beaucoup de courage

– beaucoup de joie

– une bonne continuation

– bienvenue au monde

– une vie heureuse

– un plein succès pour l'avenir

– une rapide guérison

– que la situation s'arrange

– qu'on puisse se voir bientôt

> **• Pour exprimer vos sentiments.**
> C'est avec (beaucoup de …) …que j'ai appris…
> Votre lettre
> L'annonce de… } m'a fait… m'a rendu(e)…
> J'éprouve…
> Je ressens…
> Je suis…
>
> **• Pour parler des sentiments qu'ils éprouvent.**
> Vous devez être…
> Je partage votre…
> Je m'associe à…
> Je comprends votre…
>
> **• Les sentiments.**
> l'amitié – l'amour – le bonheur – le chagrin – l'embarras (la gêne) – la fierté – la joie – la peine – le plaisir – le remords – la sympathie – la tristesse.

d. En réponse à quel document pourriez-vous écrire les phrases suivantes :

– Je vous (te) rassure.

– Toutes mes félicitations !

– Gardez le moral !

– Encore une fois, bravo !

– Je vous présente mes sincères condoléances.

– Ne t'inquiète pas ! (Ne vous inquiétez pas trop !)

e. Rédigez une courte réponse (6 à 7 lignes) pour deux de ces six situations.

1.

Florence et Antoine MARTINEZ
ont la joie de vous annoncer la naissance de

MORGANE

le 18 mars 1996

Le Diderot – Bât. C
22, avenue Georges-Clemenceau – 14000 CAEN

2.

Ma chère ...

Excuse-moi de ne pas avoir répondu à ta gentille carte de vœux de nouvel an. J'ai eu beaucoup de soucis dernièrement. Ma mère est tombée gravement malade à la fin décembre et il a fallu l'hospitaliser. Elle n'est sortie que récemment de l'hôpital mais elle ne s'est pas encore rétablie.

3.

Cher...

Ça y est ! J'ai réussi au concours de l'agrégation. Je serai donc, après mon année de stage, professeur de lycée. Mais j'espère bien terminer ma thèse l'année prochaine et obtenir bientôt un poste à l'université.

4.

AVIS D'OBSÈQUES

ROMORANTIN.
Mme Roger BRUNET
M. et Mme Claude BRUNET et leurs enfants
M. et Mme Didier FORTIN et leur fille
Parents, alliés et amis ont la douleur de vous faire part du décès de

M. Roger BRUNET

survenu à l'âge de 83 ans

Les obsèques religieuses auront lieu le 4 mai en l'église de Châteauneuf.

5.

Chère…

Voilà quatre mois que nous n'avons pas eu de tes nouvelles. Heureusement que nous en avons par ton amie Sylvie. Nous savons que tu es heureuse à Barcelone. Nous savons même que tu as rencontré un jeune homme que nous aimerions bien connaître.

Pourquoi ne pas nous écrire ? C'est vrai, nous nous sommes beaucoup disputés avant ton départ. Nous trouvions que tu étais trop jeune pour partir seule dans un pays étranger. Mais c'était une réaction normale de parents. Sache que tout cela est oublié. Nous ne voulons que ton bonheur.

6.

Mon Cher…

Je t'écris parce que j'ai un grand service à te demander. Voilà plus d'un an que je suis au chômage et j'ai de grosses difficultés financières. Te serait-il possible de me prêter 3 000 € jusqu'à ce que je trouve du travail ?

À LA DÉCOUVERTE DE GESTES

8 Le sens des gestes et des expressions du visage

Observez les personnages de la page 63.

a. Faites correspondre chacune des situations suivantes avec une attitude.

1. Son patron vient de lui donner encore du travail pour le week-end.

2. On vient de lui proposer un deuxième verre de whisky.

3. Chaque année, sa femme veut partir en vacances à la montagne. Il a essayé vingt fois de la convaincre qu'ils pourraient aller une fois à la mer.

4. Il a failli avoir un accident très grave. Un camion est passé à quelques centimètres de sa voiture.

5. Il écoute un conférencier particulièrement ennuyeux.

6. Au théâtre, pendant la pièce, ses voisins bavardent.

7. Dans la rue, la nuit, deux individus armés lui ont demandé son portefeuille.

8. Il vient d'assister à un match de football extraordinaire.

9. Un de ses amis vient de lui dire qu'il quittait sa femme et ses enfants pour aller faire le tour du monde à bicyclette.

10. Un de ses amis vient de lui dire qu'il avait acheté sa Mercedes d'occasion pour seulement 1 500 €.

b. À quelle attitude correspond chacune des phrases suivantes ?

S'ils parlent d'une manière courante

1. J'ai eu peur.
2. J'étais terrorisé.
3. Il est complètement fou.
4. Non, merci beaucoup.
5. J'ai trop de travail.
6. Il me fatigue. Quand est-ce qu'il va finir !
7. Pourriez-vous vous arrêter de parler s'il vous plaît !
8. Je n'y peux rien !
9. Ils ont été formidables !
10. Ce n'est pas vrai ! Je ne te crois pas.

S'ils parlent d'une manière familière

1. Ça tourne pas rond dans sa tête.
2. Chut !
3. Quelle trouille !
4. J'ai eu chaud !
5. Non, ça va comme ça !
6. C'était super !
7. J'en ai par-dessus la tête !
8. Mon œil !
9. Il nous rase !
10. Que veux-tu que j'y fasse !

Entracte

Le Roy, accepte le bonnet rouge et arbore la cocarde tricolore

1 Savez-vous pourquoi ?

Entourez la bonne réponse. Vérifiez vos réponses en lisant les légendes des illustrations.

Pourquoi le drapeau français, adopté pendant la Révolution de 1789, est-il bleu, blanc et rouge ?

a. Le bleu est le symbole de la liberté, le blanc celui de l'égalité, le rouge celui de la fraternité.

b. Le blanc était la couleur du roi de France. Le bleu et le rouge étaient les couleurs de la ville de Paris.

Après la révolte du 14 juillet 1789, le roi Louis XVI se rend à l'Hôtel de Ville de Paris. Les révolutionnaires lui remettent une cocarde (un insigne) bleu, blanc, rouge. Le blanc (couleur du roi), entouré du bleu et rouge (couleurs de Paris révolté) symbolisent l'union du roi et du peuple.

Pourquoi dit-on « À vos souhaits ! » quand quelqu'un éternue ?

a. Pour lui souhaiter de ne pas être malade.

b. L'éternuement est une « libération » (des forces du mal).

L'habitude de dire : « À vos souhaits ! » date de la Grande Peste de 1651. L'éternuement était l'un des premiers symptômes de la peste. Par ces mots, on signifiait à celui qui allait mourir qu'il pouvait exprimer ses derniers vœux.

Pourquoi l'hymne national français s'appelle-t-il « La Marseillaise » ?

a. Son compositeur, Rouget-de-Lisle, était marseillais.

b. Ce sont des soldats marseillais qui l'ont rendu célèbre en le chantant lors de leur arrivée à Paris pendant la Révolution de 1789.

Composé à Strasbourg en 1792 par Rouget de Lisle, un officier du Jura, ce chant a d'abord été celui des armées du Rhin.

Quelques mois plus tard, un bataillon de soldats marseillais le chante en entrant dans Paris. Il devient célèbre et prend le nom de « Marseillaise ».

*Pourquoi trouve-t-on des coqs
sur les clochers des églises ?*

a. À l'époque de l'occupation romaine, le coq
   désignait le peuple gaulois à cause d'un jeu de
   mots. En latin, *gallus* = coq, *galus* = gaulois.

b. Le coq était un des symboles
   du christianisme.

Ce sont les moines irlandais qui, au Vᵉ siècle, ont
introduit les coqs de clocher. Pour saint Patrick, le coq
symbolisait l'attente du soleil, c'est-à-dire du Christ.
Mais le coq est aussi un des symboles du peuple
gaulois, puis français.

*Pourquoi en France, quand on met
le couvert, pose-t-on les fourchettes pointes
vers le bas ?*

a. Parce que posées pointes vers le haut,
   les fourchettes peuvent blesser quelqu'un.

b. Pour qu'on puisse voir les initiales des maîtres
   de maison gravées au dos de la fourchette.

En France, les initiales des noms des maîtres de
maison sont gravées au dos des couverts. En
Angleterre, elles figurent sur l'autre côté. Voilà
pourquoi les deux peuples disposent les couverts
différemment.

2 │ Propos sur les Français

Voici des phrases célèbres à propos de la France et des Français.

Quels traits de comportement, quels défauts,
quelles qualités révèlent-elles ?

*Si Dieu lui-même descendait sur la terre,
les Français commenceraient par lui dire :
« Bon, vous êtes là, discutons ! »*
M. Balfour.

`Comment voulez-vous gouverner un pays`
`qui a deux cent quarante-six variétés`
`de fromages !`
Charles de Gaulle (1890-1970).

**Gloire aux Français !
Ils ont travaillé pour les deux
plus grands besoins de l'humanité :
la bonne chère et l'égalité civile.**
Heinrich Heine, *Marengo*, 1827.

La France est divisée en 43 millions de Français
(...) La France est le seul pays au monde où, si
vous ajoutez dix citoyens à dix autres, vous ne
faites pas une addition mais vingt divisions.

P. Daninos, *Les Carnets du major Thompson*, 1954.

Les Français sont habitués à remédier à
tous leurs défauts par de l'enthousiasme.

George Meredith, *L'Égoïste*, 1924.

EN FRANCE, le premier jour est pour l'engoue-
ment, le second pour la critique, le troisième
pour l'indifférence.

Jean-François de La Harpe (1739-1803).

VOCABULAIRE

1 Les comportements amoureux

Vous êtes astrologue. Les personnes suivantes vous consultent.

a. Un homme Bélier qui vient de tomber amoureux d'une femme Gémeaux.

b. Une femme Lion qui vient de tomber amoureuse d'un homme Vierge.

c. Un homme Cancer qui vit depuis dix ans avec une femme Verseau.

d. Un homme Taureau qui vit depuis un an avec une femme Scorpion.

e. Une femme Balance qui a trois amis : un Sagittaire, un Capricorne et un Poisson.

Ils vous demandent des conseils pour réussir leur vie amoureuse.

Donnez trois conseils à chacun à l'aide de l'horoscope ci-contre. Évitez d'utiliser le vocabulaire de cet horoscope.

Exemple : a. Homme Bélier amoureux d'une femme Gémeaux :
→ « La femme que vous aimez n'est pas prête à vous écouter. Attendez. Pensez à autre chose. »

HOROSCOPE

 BÉLIER (21 mars – 19 avril)
Méfiez-vous de vos premières impulsions. Ne soyez pas aussi entêté.

 TAUREAU (20 avril – 20 mai)
Vous aurez des occasions d'être jaloux. Soyez plus souple.

 GÉMEAUX (21 mai – 20 juin)
Vous parlez beaucoup mais vous n'agissez pas. C'est peut-être mieux ainsi.

 CANCER (21 juin – 22 juillet)
Vous êtes trop possessif.

 LION (23 juillet – 22 août)
Vos ambitions et votre orgueil risquent d'être mis à l'épreuve.

 VIERGE (23 août – 22 septembre)
Vous êtes perfectionniste et difficile à satisfaire.

 BALANCE (23 septembre – 22 octobre)
Vous traversez une période d'équilibre. Votre charme est irrésistible.

 SCORPION (23 octobre – 20 novembre)
Vous avez besoin de changer d'air. Rencontrez des créatifs et des artistes.

 SAGITTAIRE (21 novembre – 20 décembre)
Vous êtes changeant et insouciant.

 CAPRICORNE (21 décembre - 19 janvier)
Soyez moins rigide. Évitez les maladresses.

VERSEAU (20 janvier – 18 février)
Vous êtes déprimé. Vous avez besoin d'indépendance.

 POISSON (19 février – 20 mars)
Vous réfléchissez trop. Soyez moins timide. Montrez vos qualités.

2 Le portefeuille des Français

Voici le contenu du portefeuille d'un Français pris au hasard.

a. une carte d'identité

b. une carte grise

c. une carte verte

d. une carte orange

e. une carte bancaire

f. une carte d'électeur

g. une vignette

h. un permis de conduire

i. une carte indiquant le groupe sanguin

j. une carte de Sécurité sociale

k. une carte du supermarché Casino et une carte des magasins FNAC

l. trois billets de banque

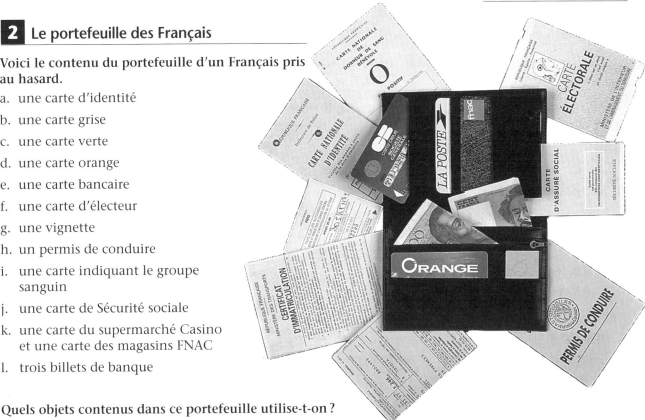

Quels objets contenus dans ce portefeuille utilise-t-on ?

1. pour payer quelque chose

2. pour obtenir une réduction quand on achète quelque chose

3. en cas d'accident grave

4. pour prouver son identité

5. pour prouver qu'on est propriétaire de la voiture qu'on conduit

6. pour prouver que cette voiture est assurée, et que la taxe automobile a été payée

7. pour voter

8. pour obtenir un remboursement de frais médicaux (médecins, médicaments, hôpital)

9. pour prendre le métro à prix réduit

3 Recettes et dépenses

À l'aide des mots de la liste, trouvez le nom qui correspond à...

- **... la somme d'argent que vous recevez :**

  a. de votre employeur

  b. si vous êtes étudiant

  c. si vous êtes chômeur

  d. si vous êtes parent de plusieurs enfants

  e. si vous êtes retraité

  f. si vous avez placé de l'argent à la banque

  g. si vous êtes président d'une association et que vous demandez de l'argent public pour réaliser quelque chose

- **... la somme que vous donnez :**

  h. au propriétaire de votre logement

  i. à l'État, en fonction de vos revenus

  j. à votre syndicat, à la Sécurité sociale, à une association

  k. à la commune, à la région et à l'État pour votre logement

  l. à l'ouvreuse dans un cinéma

  m. avant de recevoir un objet que vous avez commandé

- un acompte
- une allocation
- une bourse
- une cotisation
- un impôt
- des intérêts
- une indemnité
- un loyer
- une pension
- un pourboire
- un salaire (salariés)
- une subvention
- une taxe
- un traitement (fonctionnaires)

GRAMMAIRE

4 Les adverbes en -(e)ment

Complétez chaque phrase avec un ou plusieurs adverbes en -(e)ment formés à partir des adjectifs de la liste.

Exemple : a. Mangez *légèrement* et *lentement* !

a. Conseils à quelqu'un qui veut perdre du poids et retrouver la forme :

Mangez … !

Buvez de l'eau … !

Faites du sport … !

b. Conseils du passager au conducteur en colère qui vient d'avoir un accident :

Sors de la voiture … !

Parle … à l'autre automobiliste !

Remplis le constat d'accident … !

c. Conseils à un ami qui se dispute souvent avec sa femme :

Ne lui parle pas … !

Parle-lui … !

Expliquez-vous … !

Sortez ensemble … !

- abondant
- calme
- complet
- franc
- fréquent
- gentil
- léger
- lent
- lisible
- méchant
- poli
- régulier
- sec

5 Difficultés d'emploi de quelques adverbes

Beaucoup – Très – Trop

Beaucoup caractérise un verbe.
Il dort beaucoup.

Très caractérise un adjectif ou un adverbe.
Il parle très fort.

Trop contient une idée de comparaison.
Il parle trop fort. Je ne peux pas écouter la radio.

Bien / Bon – Vite / Rapide
Bien et *vite* sont des adverbes. Ils caractérisent des verbes ou des adjectifs.
Bon et *rapide* sont des adjectifs.
NB : *Bien* peut être employé comme un adjectif dans certains cas.
Ce film est très bien (= bon, beau).
C'est une fille bien (= sympathique, qui a de la classe).

Lisez le tableau avant de faire les exercices.

a. Complétez avec *beaucoup*, *très* ou *trop*.

- Bruno n'a pas l'habitude de manger … . Hier soir, il a fait un bon repas avec ses anciens camarades d'école. Il a … mangé. Résultat : dans la nuit, il a été … malade.

- Nous avons l'habitude de … marcher. Nous voulions faire une promenade cet après-midi. Mais il fait … mauvais temps pour sortir.

b. Complétez avec *bien*, *bon*, *vite*, *rapide*.

- Moi, j'aime … aller manger dans les restaurants comme Mac Donald ou Free Time. Quand on est pressé, on peut manger …

- Moi, je trouve que ce qu'on y sert n'est pas … . Je ne suis pas un amateur de restauration … . Il y a des petits restaurants de quartiers où on mange très … . C'est là que je vais. Le service est peut-être moins … que dans les Mac Donald. Mais tant pis ! … et … ne vont pas ensemble.

> Certains adverbes en -*ment* peuvent avoir un sens différent de l'adjectif qui a servi à les former.
> *Exemple :*
> *sûrement* signifie très souvent « probablement ».

c. **Donnez le sens des adverbes soulignés.**

• Conduis plus <u>doucement</u>! On va avoir un accident !

• Vous êtes née à Paris ?
– <u>Absolument</u>.
– Et vous habitez Paris ?
– Pas <u>précisément</u>. J'habite en banlieue.

• <u>Dernièrement</u>, je suis allée au restaurant *Le Périgord*.
– C'est <u>précisément</u> de ce restaurant que je voulais te parler.

• Didier est <u>vraiment</u> malade. Il a été hospitalisé.

6 Le gérondif

a. **Lisez le sondage. Continuez le commentaire de ce sondage en utilisant des gérondifs.**

→ « 54 % de Français ont l'impression de perdre leur temps *en attendant* dans une salle ou une file d'attente.

51 % en ... »

b. **Rédigez votre réponse personnelle à ce sondage en utilisant des gérondifs.**

→ « J'ai l'impression de perdre mon temps en ... »

QUAND AVEZ-VOUS L'IMPRESSION DE PERDRE VOTRE TEMPS ?

■ Attendre dans une salle ou une file d'attente	54 %
■ Être bloqué dans un embouteillage	51 %
■ Regarder la télévision	16 %
■ Prendre les transports en commun	10 %
■ Dormir	8 %
■ Téléphoner	4 %
■ Se promener	1 %
■ Divers	16 %

7 Sens et emplois du gérondif

Transformez les groupes entre crochets en supprimant les mots soulignés et en utilisant un gérondif.

Exemple : [<u>Quand</u> je suis allé à Paris, je suis tombé en panne.]
    → Je suis tombé en panne en allant à Paris.

Conversation à propos d'une panne de voiture.

PIERRE : [Je suis tombé en panne <u>pendant que je</u> traversais Beauvais.]

HERVÉ : [<u>Si tu</u> faisais vérifier ta voiture plus souvent, tu ne tomberais pas en panne.]

PIERRE : Mais non, c'est la faute à Isabelle qui met de l'essence normale.
    [Le carburateur se bouche <u>parce qu'elle</u> ne met pas de « super ».]

HERVÉ : [Et tu t'es débrouillé comment ? <u>Tu as fini par</u> appeler un garagiste ?]

PIERRE : [Non, trois personnes qui passaient m'ont aidé. [<u>Elles ont poussé</u> la voiture.]

ÉCRITS ET ÉCRITURES

8 Rechercher des informations dans un texte

Pourquoi de nombreux Français mènent une double vie

Dans son livre Les Aventuriers de la double vie *(Éditions de l'Archipel),*
la sociologue Cécile Abdessalam estime que près de 20 % des Français entretiennent une relation
amoureuse durable avec deux personnes. Elle analyse les causes de ce phénomène de société.
Le quotidien Aujourd'hui *fait un résumé de ses explications.*

1 **M**ais pourquoi donc autant d'infidèles ? Cécile Abdessalam donne plusieurs réponses à cette question. D'abord le sida. Avant l'apparition de ce virus, l'aventure d'un soir primait, son caractère 5 éphémère ne mettant pas en péril le couple. Aujourd'hui, aventure est synonyme de danger et, par conséquent, la relation durable extraconjugale est devenue un gage de sécurité. Le divorce n'est pas non plus étranger à cette évolution. Nombreux sont 10 les enfants de divorcés qui ne veulent pas faire subir à leurs enfants ce qu'ils ont connu. Aussi préfèrent-ils mener une double vie plutôt que de rompre, cette double vie devenant paradoxalement le meilleur garant de la solidité du couple. De plus, un 15 divorce coûte cher et en ces temps de crise, la priorité revient surtout aux économies. Autre raison, la médiatisation du sujet qui a pour effet de le banaliser. En effet, tous les magazines, qu'ils soient féminins ou hebdomadaires d'actualité, 20 abondent sur le thème de l'infidélité. La télévision a suivi le mouvement avec des émissions comme « Psy Show » ou « L'amour en danger », dans lesquelles les invités n'hésitaient pas à témoigner à visage découvert. Quant à l'historienne Anne Martin-25 Fugier, interrogée par l'auteur, elle voit plutôt une explication dans l'accroissement de la durée de vie : « Autrefois, les mariages duraient peu de temps, les femmes mouraient en couches (…) aujourd'hui, un mariage, s'il ne se solde pas par un divorce, a toutes 30 les chances de durer cinquante ans. Et cinquante ans avec la même personne, c'est long. Alors, on trouve des aménagements. » En clair, un remède anti-routine.

S. Delos, *Aujourd'hui*, 31 octobre 1995.

a. Lisez le titre de l'article et les lignes en italique.
   Laquelle des phrases suivantes traduit le mieux l'information donnée ?

   1. Les Français ont de nombreuses aventures amoureuses.

   2. Beaucoup de Français partagent leur vie amoureuse
      entre deux personnes.

   3. Les deux partenaires d'un couple se font de nombreuses infidélités.

b. Lisez l'article. Trouvez les mots qui correspondent
   aux définitions suivantes.

Lignes 1 à 9

– occuper la première place

– très bref

– en danger

– une garantie

Lignes 10 à 19

– d'une manière
  contradictoire

– rendre banal, ordinaire

Lignes 20 à 33

– produire en grande quantité

– pendant un accouchement
  (naissance d'un bébé)

– avoir pour résultat, pour
  conséquence

– s'adapter, accepter des
  compromis

c. Recherchez les causes du fait de société annoncé dans le titre.
Résumez et présentez dans un tableau les explications données.

Causes	Explications
Le sida	La peur de la maladie provoque des changements de comportement. Aux infidélités nombreuses et de courte durée, on préfère une infidélité unique et durable.
…	…

9 Donner une opinion sur un fait de société

a. Trois personnes donnent leur opinion sur le fait de société présenté dans l'article de la page 70. Elles répondent à la question :

« Êtes-vous choqué(e) par les gens qui mènent une double vie ? »

Lisez ces réactions et complétez le tableau.

Réaction générale Caractérisation du comportement		Arguments
1.	Compréhensible mais plutôt anormal	Dans la double vie on cherche ce qu'on n'a pas trouvé dans la vie de couple…

① « Si quelqu'un mène une double vie, en dehors de son foyer, c'est parce qu'il cherche ailleurs ce qu'il n'a pas trouvé chez lui. Je peux comprendre cette situation, mais c'est tout de même un dernier recours, surtout lorsqu'il y a des enfants. Je ne parle pas pour moi, car je pense être heureux avec ma compagne. J'essaye de simplifier les choses au maximum et de les rendre agréables. L'harmonie d'un couple passe par de nombreux efforts. »

Homme, 31 ans, *banquier*

② « Personnellement, ça ne me choque pas car je trouve que chacun est libre de disposer de ses sentiments et de son corps. En fait, personne n'appartient à personne. Aujourd'hui, les couples se forment et se séparent à tout âge, les jeunes comme les retraités. Les comportements ont changé et les gens s'attachent de moins en moins. Comment voulez-vous qu'un mariage dure plusieurs années ? Certains se sentent prisonniers d'un mariage qui n'est plus qu'une vie associative. »

Femme, 18 ans, *étudiante*

③ « C'est tout à fait inconcevable, car il y a des choses qu'on ne peut accepter lorsqu'on s'engage avec quelqu'un par le biais du mariage. Pour cette même raison, je viens de divorcer après vingt-quatre ans de vie commune et deux enfants. Pourquoi compliquer les choses lorsque le divorce permet de faire un trait sur le passé. Aujourd'hui, c'est en toute tranquillité que je vais essayer de reconstruire une autre vie, et peut-être fonder un nouveau foyer. »

Homme, 53 ans, *enseignant*

Aujourd'hui, 31 octobre 1995.

b. Rédigez votre opinion sur le sujet ci-dessus
ou sur l'un des faits de société suivants :

– En France, 12 % des mères élèvent seules leurs enfants.

– 30 % des Français disent qu'ils sont capables d'aimer deux personnes à la fois.

– Un couple sur dix vit en union libre (sans être marié).

Présentez votre opinion comme dans les cas ci-dessus.
Argumentez votre opinion personnelle avec des exemples et des faits de société.

VOCABULAIRE

1 La chanson

Lisez ces présentations de disques qui ont été des succès
au début des années 90 et complétez le tableau.

Les succès de l'année

Alliance Ethnic

« **Simple et Funky** »
Virgin

C'est la France
d'aujourd'hui. Une France
métissée et riche
d'influences, qui rebondit
sur le rap et danse sur le
funk. Une France colorée, à
l'image de la musique
d'Alliance Ethnic, une des
révélations de l'année.

Alain Bashung

« **Confessions publiques** »
Polygram

Il faut voir Bashung sur
scène pour prendre
conscience de la carrure du
personnage et comprendre
pourquoi il incarne depuis
déjà longtemps ce que le
rock français propose de
meilleur. Ou écouter ce *live*,
en guise de rattrapage.

Mano Solo

« **Les années sombres** »
East West

La vie est souvent grave. Nul
mieux que Mano Solo ne
peut brosser ces années
sombres où la révolte ne
suffit pas, parfois. Avec ce
nouveau disque, il s'impose
comme l'une des grandes
voix de la décennie.

Mylène Farmer

« **Anamorphosée** »
Polygram

Ainsi donc l'énigmatique
libertine est de retour, après
une longue absence, pour
nous avouer, sur fond de
guitares en colère, que les
filles ont parfois le cœur
gros [...]. Et une fois de plus
on succombe.

Maurane

« **Différente quand je
chante** »
Polygram

Voilà quatre ans qu'on
l'attendait (si l'on excepte
son escapade *live*).
Maurane, la magicienne, est
de retour avec ses chansons
enflammées et sa voix
profonde tremblante
d'émotion.

Maxime Le Forestier

« **Passer ma route** »
Polygram

« Si le monde s'appelait
Raymonde, ça ferait des
rimes », rêve Maxime
Le Forestier, toujours déchiré
entre utopie et réalité. Un
grand album d'un des plus
sûrs poètes de la chanson
française.

Catalogue FNAC (1995).

Informations sur le chanteur (la chanteuse) ou le groupe		Informations sur le type de musique (rythmes, sonorités, instruments, etc.)	Informations sur les paroles, les thèmes abordés dans les chansons
1.	Alliance Ethnic : groupe composé de chanteurs et musiciens d'origines ethniques diverses.	Rap-funk pour danser. Musique colorée (rythmée) et s'inspirant de musiques diverses.	La France d'aujourd'hui. Le métissage culturel.
	...	...	...
	...	...	...

2 Le changement

a. Complétez le texte suivant avec les verbes de la liste.

b. Soulignez les autres verbes du texte qui évoquent l'idée de changement, de modification, etc.

c. Formez des noms avec ces verbes (quand c'est possible).

Exemple : varier → une variation.

Les métamorphoses d'un jeune homme.

Avant de rencontrer Céline, Olivier était un étudiant timide qui rougissait devant les filles. Ses occupations ne variaient jamais. Il ne pensait qu'à ses études. Si ses rares amis lui proposaient de sortir avec eux, cela bouleversait son emploi du temps.

Mais depuis qu'il a rencontré Céline, Olivier … (complètement).

C'est frappant. D'abord, il s'est mis à faire du sport. Il … du poids. Ensuite, il … sa coiffure. Il l'a modernisée. Les cheveux courts le rajeunissent.

Avant, il s'habillait toujours en jeans et en pull à col roulé. Maintenant, il … souvent de vêtements.

Sa personnalité s'est aussi totalement métamorphosée. La présence de Céline l'… plus gai. Il … plus sociable. Céline et lui sortent souvent et voient beaucoup de monde. Il … de l'assurance. Il a un stock d'histoires drôles qu'il renouvelle constamment et qui font la joie de ses amis.

Bref, Céline a révolutionné sa vie.

- changer
- devenir
- (se) modifier
- prendre de (du) (+ nom)
- perdre de (du) (+ nom)
- rendre (+ adjectif)
- (se) transformer

3 Les suffixes *-ir*, *-iser*, *-ifier* (idée d'évolution et de transformation)

• Le suffixe *-ir* permet de former un verbe avec un adjectif et traduit une idée de transformation :
rouge → *rougir*
grand → *grandir*
Un préfixe est quelquefois nécessaire :
jeune → *rajeunir*

• Les suffixes *-iser* et *-ifier* indiquent aussi une idée d'évolution :
rendre réel → *réaliser*
donner du sens → *signifier*

a. **Remplacez les groupes de mots en italique par un verbe en *-ir*.**

- J'ai trouvé Jacques changé. Il *paraît plus vieux*.
- En apprenant la mauvaise nouvelle, il *est devenu tout pâle*.
- On a *peint* le mur *en blanc*.
- Vous pouvez prendre la route nationale 10. On a fait des travaux. Elle est *plus large*.
- Sa maladie l'a *rendu plus faible*.

b. **Formulez différemment chaque phrase en employant un verbe en *-iser* ou *-ifier*.**

Un chef d'entreprise critique le rapport de son collaborateur.

- Il faut que vos explications soient plus simples.
- Il faut que vos idées soient exprimées d'une manière plus concrète.
- Donnez des exemples divers !

Et puis écrivez dans un style plus moderne !

GRAMMAIRE

4 Le sens des adjectifs et des pronoms indéfinis

Lisez l'annonce des résultats du vote et complétez le tableau des résultats.

Pour leur fête de fin d'année, les étudiants d'un lycée ont décidé d'inviter un artiste ou un orchestre. Ils viennent de voter pour le sélectionner.

« Voici les résultats du vote… Tout le monde a voté. Personne n'a mis de bulletin blanc.

La plupart ont voté pour un chanteur ou une chanteuse.

Certains, ils sont assez nombreux, ont choisi *Roch Voisine*. D'autres, un peu moins nombreux, ont préféré *Enzo Enzo*. Mais beaucoup, c'est-à-dire une légère majorité, ont voté pour *Cabrel*. C'est donc lui qui sera invité.

Les autres propositions n'ont pas recueilli beaucoup de voix. Aucun n'a choisi le *Trio classique*. Quelques-uns ont sélectionné le groupe de jazz, mais très peu. Enfin, il y a eu plusieurs voix pour *Maurane*. »

RÉSULTATS DU VOTE	
Votants	…
Suffrages exprimés	…
Pourcentage de voix par propositions	
………………………………	51 %
………………………………	22 %
………………………………	21 %
………………………………	4 %
………………………………	2 %
………………………………	0 %

5 Les indéfinis à la forme négative

Complétez le dialogue en employant *personne, rien, pas un(e), aucun(e)*.

Un homme politique battu aux élections revient dans son bureau après un mois de vacances.

LE POLITIQUE : Quelqu'un a téléphoné pendant mon absence ?

LA SECRÉTAIRE : Non, …

LE POLITIQUE : J'ai reçu des lettres ?

LA SECRÉTAIRE : Non, …

LE POLITIQUE : Des messages ?

LA SECRÉTAIRE : …

LE POLITIQUE : Des amis sont passés me voir ?

LA SECRÉTAIRE : … Mais votre fils est passé.

LE POLITIQUE : Il a dit quelque chose ?

LA SECRÉTAIRE : Non, … Attendez ! Si ! Il a dit qu'il allait s'inscrire dans un parti de la majorité.

6 Vocabulaire de la quantité

a. Emballage et quantité. Trouvez dans la liste sous quelle forme vous demanderiez les objets suivants.

Exemple : des pommes de terre → un sac, un kilo de pommes de terre.

– des allumettes
– des bonbons
– du beurre
– des biscuits
– des cigarettes
– du chocolat
– de l'eau minérale

– du lait
– de la lessive
– des oranges
– des pommes de terre
– du tissu
– des yaourts

- une boîte
- une bouteille
- un mètre
- un pack
- un paquet
- une plaquette
- un pot
- un sac
- une tablette
- un kilo

b. Quels mots de la liste exprimant la quantité
ou le nombre utiliseriez-vous pour parler...

- – de sable
- – de livres rangés dans une bibliothèque
- – de livres posés les uns sur les autres
- – de gens en train de discuter dans un salon
- – de gens rassemblés autour d'une personne accidentée
- – de gens qui font la queue devant un cinéma
- – de gens qui vont à un grand concert de rock
- – de copains qui vont faire la fête

■ un attroupement
■ une bande
■ une file
■ une foule
■ un groupe
■ une pile
■ une rangée
■ un tas

c. Quels mots du tableau utiliseriez-vous pour demander...

- – du pain ; à table, en famille ? dans un restaurant ?
- – un peu de poulet ; à table, en famille ?
- – du vin ; quand vous en voulez normalement ?
- – du vin ; quand vous en voulez très peu ?
- – du potage ?
- – de la bière à la pression dans un café ?
- – une petite bouteille de vin dans un restaurant ?
- – un petit pichet (une petite carafe) de vin dans un restaurant ?

■ une assiette
■ une corbeille
■ un demi
■ une demi-bouteille
■ une goutte
■ une louche
■ un morceau
■ un quart
■ une tranche
■ un verre

---

7 **Emploi des mots de quantité et du pronom *en***

Complétez les dialogues par une phrase en utilisant le mot entre parenthèses
et le pronom *en*.

*Aurélien (18 ans) fait souvent des séjours
en Italie.*

ANTOINE : Tu as des amis italiens ?

AURÉLIEN : Oui, ... (quelques-uns)

ANTOINE : Il y a des filles parmi ces amis ?

AURÉLIEN : Oui, ... (plusieurs)

ANTOINE : Il y en a qui font du sport ?

AURÉLIEN : Oui, je crois qu(e) ... (certaines)

ANTOINE : Tu me les présenteras ?

AURÉLIEN : Je ... (une). Elle est très sympathique
et, comme toi, elle est passionnée d'équitation.

Christine téléphone à un hôtel pour réserver.

CHRISTINE : Vous avez beaucoup de touristes en ce
moment ?

L'EMPLOYÉE : Oui, ... (quelques-uns). Mais ce n'est
pas la foule.

CHRISTINE : Il y a un jardin dans l'hôtel, je crois ?

L'EMPLOYÉE : Oui, ...

CHRISTINE : Et une piscine ?

L'EMPLOYÉE : Oui, ... dans le jardin.

CHRISTINE : Est-ce qu'il y a des chambres qui
donnent sur le jardin ?

L'EMPLOYÉE : Oui, ... (plusieurs)

CHRISTINE : Vous pouvez ... (une) pour la semaine
du 20 mai ?

ÉCRITS ET ÉCRITURES

8 Comprendre un commentaire de spectacle

a. Lisez rapidement les quatre présentations de spectacles de la page 77. De quels types de spectacles s'agit-il ?

Faites une liste des différents genres de spectacles qui peuvent figurer dans la rubrique « Sortir » d'un magazine.

b. Lisez en détail le commentaire de chaque spectacle. Repérez :

– les sujets de commentaire (ce dont on parle) ;

– les commentaires qu'on fait sur chacun de ces sujets.

Exemple : Roméo et Juliette (ballet)
   – L'histoire → (résumée en quelques mots : Les « amants de Vérone » vivent leur amour passionné)
   – Le décor → somptueux
   …

9 Rédiger un commentaire de spectacle

Choisissez un spectacle que vous avez vu récemment
et faites-en un rapide commentaire. Pour cela, sélectionnez dans le tableau
ci-dessous les sujets de commentaire qui conviennent à votre spectacle.
Donnez une appréciation sur chaque sujet.
En conclusion, donnez votre appréciation générale sur le spectacle.

Les sujets de commentaire		Commentaires et appréciations
LE SUJET DU SPECTACLE	l'histoire, l'intrigue	Racontez-la en quelques mots.
	les thèmes	La pièce de théâtre, les chansons nous parlent de…
	le ton général	gai – comique – tendre – tragique – pathétique – émouvant – etc.
	la forme du spectacle	une succession de… une alternance de… un enchaînement de…
LA MISE EN SCÈNE	le décor	original, nouveau, surprenant/banal, quelconque – beau/laid – adapté/inadapté à… etc.
	le rythme	rapide/lent – léger/lourd
L'INTERPRÉTATION	le jeu des acteurs	L'acteur (le musicien) interprète le rôle de… la musique de… d'une manière excellente, émouvante, etc. Il joue bien/mal – à la perfection Il traduit les émotions, les sentiments… Il nous fait rire…
	les mouvements, les attitudes	L'acteur, le chanteur a de la présence. Les mouvements, les attitudes de la danseuse évoquent… rappellent… traduisent…
	la voix	une voix grave/aiguë – claire/étouffée – douce/éclatante – dure/chaude, sensuelle – etc.
LA MUSIQUE	la mélodie	simple/sophistiquée – douce – romantique – qui évoque… qui traduit…
	le rythme	lent/rapide – entraînant – dansant – un rythme de blues, de rap, de funk music, etc.

Sortir

Roméo et Juliette

Ce très beau ballet de **Rudolf Noureev** a remporté un triomphe en juillet dernier. Les amants de Vérone vivent leur amour passionné dans un nouveau décor somptueux signé par Ezio Frigerio. Noureev avait su utiliser l'ampleur et le charme fascinant de la musique de Prokofiev. Les danseurs, visiblement heureux de porter une production d'une telle tenue[1], se surpassent[2]. Pour la première, Juliette sera interprétée par Isabelle Guérin et Roméo par Laurent Hilaire. En alternance avec les autres étoiles de l'Opéra (Pietragalla, Maurin, Loudières, Legrée/Legris, Leriche).

B.H., *Le Point*, 16 septembre 1995.

1. Qualité.
2. Être meilleur que d'habitude.

Des jours entiers, des nuits entières

de **Xavier Durringer**, *mise en scène : Stéphanie Chévara*

Xavier Durringer est l'un de nos meilleurs auteurs contemporains. Il possède une langue bien à lui, un sens de

l'efficacité théâtrale, il sait construire des personnages... Il peint les hommes avec tendresse dans leur blessure, leur fragilité, leur lâcheté. Ce nouveau spectacle, construit à partir de notes prises, d'extraits de pièces – qui pèche[1] un peu à cause de cela –, est très intéressant. La mise en scène de Stéphanie Chévara, inventive et sobre, et les cinq jeunes comédiens, tous excellents, font passer à l'amateur curieux de théâtre une bonne soirée.

Jean-Luc Jeener, *Le Figaro Magazine*, 22 avril 1995.

1. Ici, le spectacle présente des défauts à cause de...

Faust argentin

d'**Alfredo Arias**, avec *Alfredo Arias, Marilu Marini, Haydée Alba, José Castro, Adriana Pegueroles, Monica Sotomayor.*

Alfredo (Arias) revient en Argentine. En pleine pampa, un gaucho raconte à un autre gaucho une représentation du *Faust* de Gounod au théâtre Colon. Tour de passe-passe[1] :

Alfredo se métamorphose en Méphisto, et, tout de rouge vêtu, s'amuse, comme un beau diable, entre Marguerite et Faust. Les numéros de danse, de chant et les petites histoires se répondent sans que jamais la logique s'en mêle. Pourtant, si le grain de folie[2] fait gaiement dérailler[3] la machine, celle-ci donne parfois quelques signes de faiblesse. Mais la verve[4] d'Arias, le jeu de Marilu Marini, la voix d'Haydée Alba et la virtuosité des danseurs sont des atouts[5] suffisants pour qu'on ne s'ennuie pas.

B.H., *Le Point*, 2 décembre 1995.

1. Tour d'illusionniste.
2. L'aspect fantaisiste du spectacle.
3. Sortir des rails. Ici, à chaque instant le spectacle prend des formes inattendues.
4. Fantaisie dans le langage.
5. Un point positif.

Céline Dion

Elle a fait ses débuts à l'âge de treize ans et se retrouve treize ans plus tard sacrée star internationale. Une belle voix expressive. Une extraordinaire présence scénique. Rock, blues, rien ne résiste au large registre de Céline qui fait salle pleine au Zénith. Pour le retour à Paris de la jeune Québécoise, Jean-Jacques Goldman a écrit une dizaine de chansons propres à séduire le public français.

D'après *Le Figaro Magazine*.

VOCABULAIRE

1 Les objets

a. Lisez les annonces ci-contre. Repérez les abréviations les plus fréquentes et donnez leur sens.

Exemple : Vds – VD → vends (je vends).

b. Choisissez pour eux les bonnes affaires qui pourront leur être utiles.
Dites à quoi ces objets leur serviront.

Antoine a 40 ans. Il est au chômage depuis un an. Avec l'inactivité, il a un peu grossi. Le climat familial n'est pas excellent et les scènes de ménage sont fréquentes. Alors, il vient de décider de créer sa propre petite entreprise.

Françoise et Rémi ont décidé de quitter Paris. Ils ont acheté une vieille maison perdue dans la campagne du sud de la France, à 20 km du premier village. Passionnés de nature et d'animaux, ils ont décidé de s'y installer bientôt.

Hélène et Pierre viennent d'un milieu modeste. Ils n'ont pas eu la chance de faire des études. Ils ont décidé qu'ils donneraient à leurs enfants tout ce qu'il faut pour se cultiver, apprendre la musique, etc.

c. Rédigez une petite annonce pour un objet que vous voulez vendre (*vends...*) ou que vous cherchez (*cherche...*).

BONNES AFFAIRES

(1) ■ CAUSE démén. vds. meubles, lit en 2 m, fauteuil Voltaire provençal. S à M Henri II et div. HR 56 68 23 78.

(2) ■ VDS ampli 60 watt + guitare acoustique Vantage + Fly état neuf l'ensemble 480 €. Tél. 58 87 00 27, 20 h.

(3) ■ VDS PC portable Olivetti 486D x 25 coul. 8 Mo HD 120 MO + imprimante + log. 1 200 €. Tél. 55 75 01 40 le soir.

(4) ■ Vds billard américain état neuf cédé 1 250 €. Tél. HR 48 87 21 00 ou HB 48 58 58 58.

(5) ■ Vds collier or torsadé neuf, poids 15,40 g 18 crts. 230 € seulement. Tél. HR 98 49 58 88.

(6) ■ Encyclopédia Universalis : une édition cuir et une blanche moitié prix chacune. Tél. 21 05 05 05.

(7) ■ Vds skis Rossignol 2 m 61 €, chauss. ski T 44-6 950 €, combinaison ski moniteur 100 €. Tél. 66 66 68 68.

(8) ■ Vds meubles anciens : buffet Henri II, buffet avec marbre, grande armoire. Tél. 25 75 57 75.

(9) ■ Caméscope 8 mm compact récent, viseur optique, état neuf 380 €. Tél. 36 37 32 34.

(10) ■ Part. vds lave-linge, lave-vaisselle, frigo congélateur, TBE poss. livraison. Tél. 46 20 30 30. HR.

(11) ■ Vds cheval camargue 13 ans bon pour débutant 1 700 €. Tél. 77 00 07 07 HB.

(12) ■ Vends téléphone de voiture Motorola 8 watts, prix 120 € avec ligne SFR analogique ALJUST-CO au 50 00 00 88 heures bureau.

(13) ■ Part. vends couple de chèvres naines du Gabon 1 an + canard d'ornement, poules en ponte, pigeons de sélection. Tél. 88 04 04 45.

(14) ■ Machine écrire traitement texte Brother LW 30 fonctions multiples 290 €. Tél. 17 70 08 13.

(15) ■ À saisir photocop. A3-A4 Olivetti 290 € + stock pièces photocop. Ricoh, Oliv., Canon, Toshiba, 34 55 55 50.

(16) ■ Banc de musculation multifonctions. Prix 240 € à débattre. Tél. 90 93 58 58.

(17) ■ Vds orgue électrique + accomp. Yamaha très bon état px 530 €. Rens. au 16 21 21 02 HR.

(18) ■ Vds bible couverture bois provenance Nazareth prix 230 €. Tél. 66 66 86.

(19) ■ Vds grde cage oiseaux sur roulettes. Tél. 36 30 65 23.

2 L'aspect des objets

a. **Voici des mots qui servent à caractériser
les objets. Complétez le tableau de la page suivante.**

CONTRAIRES

Adjectifs	Noms	Verbes	Adjectifs	Noms	Verbes
grand	la grandeur	agrandir	...	...	rapetisser
large	...	...	...	l'étroitesse	...
...	la hauteur	...	bas	(1.)	...
...	...	alourdir	...	la légèreté	...
long	...	...	...	...	raccourcir
...	...	épaissir	...	...	amincir/mincir
...	un creux	...	...	un plat	...
plein	...	...	...	le vide	...

1. Le mot *bassesse* existe mais il a seulement un sens moral.

b. **Dites ce qui distingue les choses suivantes (forme, dimensions, poids, couleur, etc.).**

– un appartement ancien et un appartement
moderne (de même standing)

– une petite voiture des années 30 et une
petite voiture actuelle

– un ballon de football, un ballon de rugby,
un ballon de volley-ball

– le drapeau français et le drapeau de votre
pays

c. **Donnez le sens de l'adjectif en italique dans les phrases suivantes.
Trouvez l'expression contraire.**

Exemple : Il parle à voix basse → doucement, pas fort ≠ à voix haute, fort.

– Les prix des légumes sont plus *bas* en été.

– C'est un *grand* homme.

– Elle a l'esprit *large*.

– Allons regarder ce bijou au *grand* jour !

– C'est un *haut* fonctionnaire.

– Elle a la mémoire *courte*.

– Votre explication est un peu *légère*.

– Après ce repas, j'ai l'estomac *lourd*.

3 Le rire

Reliez les paroles et la situation.

• J'ai bien ri.

• J'aime bien son sens de l'humour.

• Je me suis bien amusée.

• Je me suis moqué d'elle.

• Elle a de l'esprit.

• Ça m'a fait éclater de rire.

• Ça m'a fait sourire.

a. Son amie est venue la voir dans une tenue
extravagante.

b. Elle a passé un bon après-midi avec une bande
de copains.

c. Elle a appris qu'Estelle, après être sortie
avec Patrick, Bruno, Jean-François et Jérémy,
sortait maintenant avec Antoine.

d. Elle a assisté à une pièce de théâtre
de boulevard.

e. Dans un film comique avec Louis de Funès,
elle a vu un gag particulièrement réussi.

f. Son amie a raconté d'une manière amusante
son séjour au Club Méditerranée.

g. Elle est allée écouter une brillante conférencière.

GRAMMAIRE

4 Compréhension des propositions relatives

a. Lisez ce début d'un poème d'Antoine Pol mis en musique par Georges Brassens.

Relevez toutes les propositions relatives.
Indiquez ce qu'elles caractérisent.

Exemple : Première strophe

Les femmes   qu'on aime pendant quelques instants

Celles (les femmes)
- qu'on connaît à peine
- qu'un destin différent entraîne
- qu'on ne retrouve jamais

b. Ajoutez une strophe au poème d'Antoine Pol en utilisant des propositions relatives (votre poème peut s'adresser aux hommes ou aux femmes).

À celle (à celles). À celui (à ceux) …   qui …

À la réceptionniste de l'hôtel …   que …

Au vendeur de pizzas …   dont …

Je veux dédier ce poème
À toutes les femmes qu'on aime
Pendant quelques instants secrets,
À celles qu'on connaît à peine,
Qu'un destin différent entraîne
Et qu'on ne retrouve jamais.

À celle qu'on voit apparaître
Une seconde, à la fenêtre,
Et qui, preste[1], s'évanouit[2],
Mais dont la svelte silhouette[3]
Est si gracieuse et fluette[4]
Qu'on en demeure épanoui[5].

À la compagne de voyage
Dont les yeux, charmant paysage,
Font paraître court le chemin ;
Qu'on est seul peut-être à comprendre,
Et qu'on laisse pourtant descendre
Sans avoir effleuré[6] sa main.
(…)

Antoine Pol, *Les Passantes*

1. *Preste :* rapide.
2. *S'évanouit :* disparaît.
3. *Svelte silhouette :* forme mince.
4. *Fluette :* mince et fragile.
5. *Épanoui :* heureux.
6. *Effleurer :* toucher à peine.

5 Construction des propositions relatives

Combinez les deux phrases en utilisant un pronom relatif.

Exemple : a. « Ce soir, nous avons invité un couple d'amis, Pierre et Cathy que nous avons rencontrés pendant un séjour à la Martinique. »

a. Ce soir, Corinne et moi, nous avons invité un couple d'amis : Pierre et Cathy. Nous les avons rencontrés pendant notre séjour à la Martinique.

b. Ce sont des gens très gentils. Ils travaillent dans l'industrie pharmaceutique.

c. Corinne a tout de suite sympathisé avec Cathy. La sœur de Cathy travaille comme Corinne au ministère de la Justice.

d. Nous avons passé des soirées amusantes avec Pierre. Ses histoires drôles font rire tout le monde.

e. Nous avons fait l'ascension de la montagne Pelée. Nous avons vu le cratère d'un volcan sur cette montagne.

f. Cathy est passionnée de plongée sous-marine. C'est le sport favori de ma femme.

g. Nous allons projeter des diapositives. Nous les avons prises pendant notre séjour là-bas.

6 Les pronoms relatifs composés

	Masculin	Féminin
Singulier	auquel	à laquelle
Pluriel	auxquels	auxquelles

Ils remplacent des choses ou des personnes quand le verbe se construit avec la préposition *à*.
→ L'écologie est un sujet *auquel* je m'intéresse beaucoup.
 (Je m'intéresse beaucoup *à l'écologie*).
NB. Pour une personne, on utilise plutôt le pronom *qui*.
 → Voici la personne *à qui* j'ai parlé (*à laquelle* j'ai parlé).

	Masculin	Féminin
Singulier	lequel	laquelle
Pluriel	lesquels	lesquelles

Ils remplacent des personnes ou des choses quand le verbe se construit avec une préposition autre que *à* et *de*.
→ Voici les amis *avec lesquels* j'ai dîné hier soir.
 (J'ai dîné *avec ces amis*).
→ L'ordinateur est un instrument *sans lequel* je ne pourrais pas travailler.
 (Je ne pourrais pas travailler *sans ordinateur*).
NB. Construction avec la préposition *de* (*duquel, desquels*) :
 → L'homme à côté *de qui* / *duquel* je suis assis.

a. **Combinez les deux phrases en utilisant** *auquel, auxquels, à laquelle, auxquelles.*

 Exemple : Pierre a un chien. Il est très attaché à ce chien.
  → Pierre a un chien auquel il est très attaché.

 • Le XVIIIᵉ siècle est une période passionnante de l'Histoire. Je m'intéresse beaucoup à cette période.

 • Les Parisiens ont un rythme de vie rapide. Je me suis habitué à ce rythme.

 • Pour le nouvel an, Françoise a reçu cinquante cartes de vœux. Elle a répondu à ces cartes.

 • Michel a pensé à des sujets d'exposés. Ces sujets ne sont pas très intéressants.

b. **Combinez les deux phrases en utilisant une construction avec préposition +** *lequel, lesquels, laquelle, lesquelles.*

 • Ce soir, j'ai invité des amis. J'ai visité l'Irlande avec ces amis.

 • Michel a terminé sa thèse. Il travaillait sur cette thèse depuis deux ans.

 • Le cinéaste Kieslowski a réalisé le film *Trois Couleurs : Bleu*. Pour ce film, il a obtenu le « Lion d'or » au festival de Venise.

 • J'ai lu le roman *Le Nom de la rose* d'Umberto Eco. Dans ce roman, j'ai trouvé une description passionnante de la vie religieuse au Moyen Âge.

c. **Complétez avec un pronom relatif :** *qui, que, dont, auquel, à laquelle, lequel, laquelle,* **etc.**

 Deux amis sont à la bibliothèque du Centre Georges-Pompidou.

 JEAN-EUDES : Tu n'as pas envie d'aller faire un tour au musée d'Art moderne ? C'est à l'étage … est juste au-dessus.

 MARIANNE : Oh moi, tu sais, l'art moderne, c'est un art … j'ai du mal à m'habituer. Il y a trop de choses … je ne comprends pas.

 JEAN-EUDES : Pourtant, il y a des œuvres intéressantes. Regarde les sculptures de César par exemple. Il collecte des objets, des morceaux de fer avec … il construit des statues.

 MARIANNE : Ça encore, je le comprends. Mais comment s'appelle cet artiste … a exposé une toile blanche sur … il a juste peint un point bleu ? Tu vois le tableau … je pense ?

 JEAN-EUDES : Je crois que c'est Klein. C'est un tableau sur … il a beaucoup de choses à dire.

 MARIANNE : Eh bien moi, c'est une œuvre … je ne peux pas m'intéresser et … je me moque totalement.

ÉCRITS ET ÉCRITURES

7 La critique politique et sociale

Lisez la bande dessinée de la page suivante.

a. Ajoutez une ou deux phrases aux trois lignes d'introduction (page 83)
   pour résumer l'histoire.

   → « Le ministre découvre ... »

b. Choisissez parmi les mots de la liste ceux qui caractérisent le mieux
   chacun des deux personnages.

c. Montrez que cette bande dessinée critique :

   – les dirigeants (à travers le ministre)

   – l'administration (à travers le conseiller)

   – les syndicats

   Exemple : les dirigeants → Ils sont nommés sans avoir été préparés…

d. Imaginez une bande dessinée critique (situations et dialogues)
   à partir de l'une des situations suivantes :

   – un directeur de banque
   – une actrice célèbre   } devient {
   – un gangster

   – ministre de la Santé
   – directeur d'une université
   – directeur des services des impôts

   etc.   etc.

- la compétence
- l'étonnement
- la froideur
- l'ignorance
- l'incompétence
- l'intelligence
- l'impassibilité
- l'indifférence
- le mépris
- la naïveté
- la ruse
- le savoir-faire
- la stupidité

8 Roman et humour

Lisez ci-dessous les premières lignes du roman
de Patrick Besson, *La Femme riche*.

Relevez :

   – un effet de surprise

   – un détail descriptif amusant

   – des phrases qui paraissent absurdes

   – des détails qui donnent envie de lire
     la suite du roman

Quand Roland m'a proposé de tuer des femmes, rien que des femmes, j'ai tout de suite été d'accord. Non pas tout de suite. D'abord, j'ai fini mon jus de tomate. Roland me regardait, sa chemise saumon grande ouverte sur sa poitrine. Il a des cheveux châtain-blond et des yeux gris-bleu. Rien, chez lui, ne saurait être d'une seule couleur. Il lui manque une incisive, comme à un vieux teckel ayant mangé trop de sucreries. Je me demande pourquoi je parle de lui au présent car il est mort depuis un bon moment déjà. Il y a beaucoup de morts dans cette histoire. Quand j'étais petit, je sentais que je ferais des dégâts sur la terre – mais comment imaginer que j'en ferais autant ?

Ensuite, j'ai demandé combien c'était payé.

– Quels sont tes besoins ? fit Roland.

– Je n'ai aucun besoin, c'est pourquoi il faut me payer cher.

– Je comprends.

Quand Roland ne comprend pas, il dit qu'il comprend. Ça l'encourage. Et du coup, au bout d'un moment, il comprend.

– Combien ?

– Un million de francs français.

– Mon client n'ira jamais jusque-là.

– Parce que c'est un homme ?

– Non. Ce n'est ni un homme ni une femme. C'est un animal. Attention : savant.

Patrick Besson, *La Femme riche*, © Albin Michel, 1993.

LE NOUVEAU MINISTRE

À la suite d'un changement de gouvernement,
un député de province vient d'être nommé ministre.
Un secrétaire le met au courant…

À LA DÉCOUVERTE DES DICTIONNAIRES

9 Les articles du dictionnaire

Les deux dictionnaires de langue française les plus utilisés en France sont le *Nouveau Petit Robert* et le *Petit Larousse*.

a. Lisez les définitions des mots «carpe» dans le *Petit Larousse*. Recherchez le genre, le sens principal et l'étymologie de ces deux mots.

Trouvez les expressions figurées composées avec le mot «carpe».

b. Lisez les définitions des mots «carpe» dans le *Nouveau Petit Robert*.

Quels types d'informations particulières apporte chacun des deux dictionnaires. Complétez la liste des emplois figurés que vous avez commencée en *a*.

1. CARPE n. f. (lat. *carpa*). Poisson de la famille des cyprinidés habitant les eaux profondes des rivières et des étangs. *Muet comme une carpe*: totalement muet. – *Saut de carpe*: bond d'un gymnaste allongé sur le dos qui se relève d'une détente brusque du corps. SYN.: *saut carpé*. ■La carpe peut atteindre 80 cm de long et peser 15 kg. La femelle pond au printemps plusieurs centaines de milliers d'œufs. La carpe fournit une chair estimée, qui justifie son élevage en étangs ou en bassins (cypriniculture).

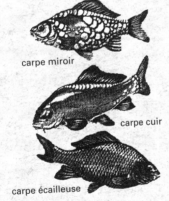

carpe miroir

carpe cuir

carpe écailleuse

Différentes formes de carpes.

2. CARPE n. m. (gr. *karpos*, jointure). ANAT. Partie du squelette de la main, articulée entre l'avant-bras et le métacarpe.

Le Petit Larousse

1. **CARPE** [karp] n. f. – 1268; bas lat. *carpa*; mot wisigoth. **1.** Gros poisson (cyprinidés) vivant en eau douce, profonde, à bouche munie de barbillons. *Carpe miroir*, à grandes écailles. *Carpe de rivière, d'étang. Pêcher la carpe. Petit de la carpe* (CARPEAU n. m.). **carpillon.** – CUIS. *Carpe farcie*, mets juif d'Europe centrale. **2.** LOC. (1828) SAUT DE CARPE: saut où l'on se rétablit sur les pieds, d'une détente, étant couché sur le dos. *Faire des sauts de carpe dans son lit*, des bonds. – *Bâiller comme une carpe*: bâiller fortement et plusieurs fois de suite, comme la carpe qui sort de l'eau. – *Faire des yeux de carpe*: avoir un regard inexpressif. *Ignorant comme une carpe. Être, rester muet comme une carpe.*

2. **CARPE** [karp] n. m. – 1546; gr. *karpos* «poignet». ANAT. Double rangée de petits os (huit chez l'homme), située entre les os de l'avant-bras et le métacarpe (⇒ carpien).

Le Nouveau Petit Robert

10 Les mots nouveaux

Chaque année, la langue française utilise des mots nouveaux.
Certains disparaissent au bout de quelque temps. D'autres entrent dans les dictionnaires. L'édition de 1995 du *Nouveau Robert* a fait entrer 500 mots nouveaux.
Voici quelques-uns de ces mots employés dans des phrases. Trouvez :

a. Le sens de chaque mot souligné.

b. Son origine : mot d'une langue étrangère, préfixe ou suffixe ajouté à un mot français, mot composé.

c. Pour quelle raison le mot est-il apparu dans la langue et y est-il resté ?

> *Exemple :* une ludothèque
> – centre de prêt de jeux, de jouets, de livres pour les jeunes enfants.
> – formé avec le suffixe « thèque » (*bibliothèque, discothèque, médiathèque*) et « ludo » qui signifie « jeu » (*ludique*).
> → Ces sortes de « bibliothèques » pour enfants sont apparues à la fin des années 70. Elles sont le signe de la place importante que les enfants occupent dans la société actuelle.

– Il a acheté une <u>imprimante</u> laser pour son ordinateur.

– À côté de la ville de Rennes, la <u>technopole</u> Atalante regroupe diverses entreprises.

– Elle est allée au café et a commandé un <u>cappucino</u>.

– Avec sa nouvelle coiffure et sa nouvelle façon de s'habiller, Clara a changé de <u>look</u>.

– Michel possède plus de mille albums de bandes dessinées. C'est un <u>bédéphile</u>.

– Certains pensent que les Français sont <u>surmédicalisés</u>.

11 Les curiosités de l'étymologie

Les mots ont parfois une origine inattendue.

Au cours des siècles, les mots peuvent changer de sens. Par exemple, le mot « rival » signifiait à l'origine : « quelqu'un qui habite au bord d'une rivière » (latin : *rivalis*). Mais quand l'eau de la rivière se fait rare, les habitants se disputent son utilisation. Le mot « rival » a donc pris le sens de « concurrent », « qui est en compétition avec… ».

Faites correspondre les mots et l'explication de leur origine.

a. le courage

b. un cocu (mot familier qui désigne un mari trompé par sa femme)

c. une cravate

d. le hasard

e. le chiffre « quatre-vingts »

1. Au XVIIe siècle, le roi Louis XIII avait fait appel, pour renforcer son armée, à des soldats croates. Ceux-ci portaient une bande de tissu autour du cou. Le port de ce tissu devint une mode.

2. Les Gaulois ne comptaient pas par dizaines comme nous aujourd'hui mais par vingtaines.

3. Les médecins de l'Antiquité et du Moyen Âge pensaient que les qualités d'une personne venaient de son cœur.

4. La femelle d'un oiseau, le coucou, change souvent de compagnon.

5. Les Arabes ont occupé certaines régions du sud de l'Europe au Moyen Age. Dans leur langue, le jeu de dés se nommait *az-zahr*.

VOCABULAIRE

1 Opérations bancaires

Que feriez-vous, que diriez-vous à l'employé(e) de banque dans les circonstances suivantes ?
Utilisez le vocabulaire du tableau.

Exemple : a. J'ouvre un compte en banque.

→ « Je voudrais ouvrir un compte courant
   et faire un virement depuis ma banque dans mon pays. »

a. Vous vous installez en France pour travailler. Vous n'avez pas de compte en banque.

b. Votre employeur vous fait un chèque de 1 500 €. Un ami vous a remboursé de l'argent que vous lui aviez prêté (750 € en espèces).

c. Au bout d'un an, sur votre compte courant, il y a 12 000 €.

d. Vous avez le projet d'acheter dans quelques années un studio ou un petit appartement.

e. Vous voulez acheter un appartement mais vous n'avez que 50 % de la somme qu'il faut payer.

f. Vous avez besoin de 300 € et vous n'avez pas de carte bancaire.

g. Vous avez hérité de 45 000 € (ou vous les avez gagnés à la loterie).

- ouvrir / clôturer un compte
  un compte courant
  un compte épargne logement
  (ou un plan d'épargne logement)
  un livret de caisse d'épargne
  (livret A)
- déposer de l'argent (chèques, espèces), signer, endosser un chèque
  faire un virement de... à...
- faire un emprunt – demander un prêt
- faire un placement - placer une somme de...
  acheter des obligations, des actions
- retirer de l'argent (faire un retrait)

2 Vie pratique : documents et papiers

Voici des documents et des papiers que l'on peut vous demander si vous vivez en France.

Les documents que vous conservez	Les autres papiers
a. la carte d'identité	h. la fiche individuelle d'état civil
b. le livret de famille	i. la fiche familiale d'état civil
c. le passeport	j. l'extrait de l'acte de naissance (de mariage, de décès)
d. la carte de séjour ou de résident	k. l'extrait du casier judiciaire
e. le carnet de vaccination	l. le bulletin de paye
f. la carte d'assuré social	m. les factures d'électricité et de gaz
g. les titres de propriété	n. les feuilles de soins
	o. le certificat de nationalité française

a. Trouvez dans le tableau les documents que vous remet automatiquement :

1. Le notaire quand vous venez d'acheter un appartement.

2. Votre médecin ou votre pharmacien.

3. La mairie quand vous vous mariez.

4. Le centre de vaccination de votre ville.

5. Votre caisse primaire d'assurance maladie.

b. Trouvez dans le tableau les documents ou papiers qu'on peut vous demander :

1. Quand vous voyagez à l'étranger.

2. Quand vous passez un examen.

3. Quand vous demandez les allocations familiales.

4. Quand vous demandez un emploi de fonctionnaire.

5. Quand vous voulez vous faire rembourser vos frais médicaux.

6. Quand vous vous inscrivez dans une bibliothèque de prêt.

7. Quand vous demandez une bourse d'études.

8. Quand vous faites un héritage.

9. Quand vous vous mariez.

3 Optimisme et pessimisme

Lisez la bande dessinée ci-contre. Identifiez l'optimiste et le pessimiste.

Imaginez les réponses du pessimiste quand l'optimiste dit :

a. L'industrie française est en train de progresser.

b. Le climat social est calme.

c. Notre ville se développe. Dix nouvelles usines viennent de s'y installer.

d. J'ai une voiture formidable. J'ai déjà fait 100 000 km sans aucun problème.

e. Ma fille vient de réussir au bac.

f. On guérit de plus en plus de cancers.

g. Il fait beau aujourd'hui.

h. Mon patron m'a augmenté.

Wolinski, *Nous sommes en train de nous en sortir,*
Paris Match, Albin Michel, 1995.

GRAMMAIRE

4 Formes du conditionnel passé

Lisez ce qu'ils disaient il y a un an. Continuez ce qu'ils disent aujourd'hui.

a. *Il y a un an...*

> Il faut que nous achetions un ordinateur. Avec un ordinateur, tu gères plus facilement ton budget. Ton travail est simplifié. Je n'ai plus besoin de ma machine à écrire. Les enfants peuvent jouer et se cultiver.

Un an après. Ils n'ont pas acheté d'ordinateur. Elle le regrette.

→ « Si nous avions acheté... tu... Ton travail... Je... Les enfants... »

b. *Il y a un an...*

> On devrait partir en vacances avec les Dubreuil. Nous irions dans leur maison à la montagne. Nos enfants s'amuseraient avec les enfants Dubreuil. Nous ferions des balades ensemble. Nous passerions des soirées agréables.

Un an après. Ils ne sont pas partis en vacances avec les Dubreuil. Ils le regrettent.

→« On... »

5 Les sens du conditionnel (présent et passé)

a. Mettez les verbes entre parenthèses au conditionnel présent ou passé.

Nathalie avait rendez-vous chez elle avec Valérie.
Mais Valérie arrive très en retard.

NATHALIE : Je pensais que tu (*venir*)[1] plus tôt.

VALÉRIE : C'est la faute de Sylvain. J'ai déjeuné avec lui. Je n'arrivais pas à m'en débarrasser. Si je ne l'avais pas écouté jusqu'au bout, ça (*faire*)[2] un drame.

NATHALIE : À ta place, je n'(*accepter*)[3] plus d'invitation de lui. Il y a même très longtemps que je lui (*dire*)[4] : « Tout est fini entre nous ! »

VALÉRIE : Je te rassure. Je ne (*devoir*)[5] pas le supporter longtemps. D'après ce qu'il dit, il (*quitter*)[6] bientôt la région. Il (*trouver*)[7] un poste intéressant à l'hôpital de Lille.

NATHALIE : Mais il (*pouvoir*)[8] revenir les week-ends.

VALÉRIE : Je lui ai dit que je (*souhaiter*)[9] qu'on ne se voie pas pendant quelque temps. Comme ça je (*pouvoir*)[10] réfléchir.

b. Classez ces verbes selon le sens du conditionnel.

	au présent	au passé
Hypothèse		
Conséquence d'une hypothèse		
Futur dans le passé		
Demande polie		
Conseil		
Fait non confirmé, pas sûr		

6 Formes du futur antérieur

Rédigez ces projets.

a. *Les fiancés.*

L'année prochaine…
Se marier.
Partir en voyage de noces à Tahiti.
S'installer à Paris.
Pour toi, réussir à ton examen.
Pour moi, obtenir un emploi intéressant.

→ « Dans un an, nous… tu… je… »

b. *Le chercheur scientifique ambitieux.*

Cette année…
Quitter l'équipe du Professeur Lebeau.
Suivre mon idée.
Découvrir un vaccin contre le rhume.
Succès de ce médicament.
Prix Nobel – Célébrité.

→ « Dans deux ans, j'… »

7 Les temps du projet : futur, futur proche, futur antérieur

D'après chaque situation du tableau, construisez une suite de trois phrases comme dans l'exemple.

Exemple : a. « À partir de demain, je vais réduire mes dépenses. Dans deux ans, j'aurai économisé 9 000 €. Je pourrai alors acheter une nouvelle voiture. »

		Ce qu'ils vont faire… Ce soir… Demain… La semaine prochaine… À partir de… Dans… Etc.	Ce qu'ils auront fait… Dans… Au bout de… Après… En 1999… Etc.	Ce qu'ils feront… Ce qu'ils seront… Alors… À ce moment-là Ce jour-là… Enfin… Etc.
a.	Il a décidé d'acheter une nouvelle voiture.	réduire les dépenses	économiser 9 000 €	acheter une voiture
b.	L'étudiant.	commencer une thèse	finir la thèse	demander un poste à l'université
c.	Les ingénieurs responsables du lancement de la fusée Ariane.	mettre à feu le lanceur	décollage du lanceur	fêter l'événement
d.	Le député parlant à l'Assemblée législative.	proposer une loi sur la circulation des vélos dans les villes	vote de la loi à l'Assemblée	mise en place du projet

8 Le conditionnel dans le discours rapporté

Voici ce que vous a dit Frédéric. Rapportez ces paroles à un ami.

« Hier, j'ai bavardé avec Frédéric. Il m'a dit que… Il m'a annoncé que… etc. »

FRÉDÉRIC : « Nous avons pris une grande décision, Mireille et moi. Dans un mois, j'aurai donné ma démission et Mireille aura vendu sa maison. Nous aurons économisé assez d'argent pour partir nous installer à l'étranger. Nous irons en Crète. J'espère que tu viendras nous voir. Si tout va bien, dans un an nous aurons ouvert un restaurant français. »

ÉCRITS ET ÉCRITURES

9 Conseils et suggestions sur un comportement

a. Lisez ci-dessous la lettre de Josiane. Trouvez les mots ou expressions qui signifient :

– refuser une demande, une invitation (deux expressions)
– s'exprimer oralement avec difficulté

Résumez en une phrase le problème de Josiane. Caractérisez ce comportement par des adjectifs.

Extraits de la lettre de Josiane, 38 ans, au magazine Maxi.

« À chaque fois que l'on me demande de rendre un service, j'accepte toujours, même si ça m'ennuie. Lorsque j'étais petite, c'était exactement la même chose. Comme j'étais la meilleure en maths, tous mes copains me demandaient de les aider. Ça m'énervait, mais je n'arrivais pas à les envoyer balader.

(Josiane évoque ensuite plusieurs situations où elle est incapable de refuser.)

Au travail, c'est toujours moi qui remets du papier dans la photocopieuse, qui prépare le café... Il m'arrive parfois d'aller déjeuner avec des personnes que je n'apprécie pas trop. Il me suffirait d'invoquer n'importe quel prétexte pour décliner leur invitation, c'est pourtant simple, mais ça m'est impossible. En plus de ça, je ne sais pas mentir ; je me mets à bafouiller, à rougir, c'est l'horreur !

Vraiment, je me trouve terriblement lâche ! En fait, je suis incapable de dire non uniquement par peur. Mais peur de quoi ? de qui ? Je n'arrive pas à comprendre ce qui se passe en moi... »

Maxi, 22 janvier 1996.

c. Un(e) ami(e) vous écrit la lettre ci-contre. Répondez-lui.
Donnez-lui des conseils. Faites-lui des suggestions.
Vous pouvez utiliser certaines formules du tableau de la page 91.

b. Lisez la réponse du psychologue.

– Quels conseils donne-t-il ?

– Relevez les expressions et les formes grammaticales qui servent à donner des conseils et à faire des suggestions.

Extraits de la réponse du psychologue.

Vous avez parfaitement analysé votre problème : vous manquez de courage. Si j'avais un conseil à vous donner, ce serait de faire l'effort de lutter contre vous-même en apprenant à vous opposer. Quand vous allez au restaurant avec votre mari, vous pourriez par exemple exprimer vos choix et vos goûts avant lui : « Ce soir, j'ai vraiment envie de... Oui, je vais prendre... » Pourquoi ne pas dire gentiment à vos collègues que c'est leur tour de préparer le café. Et à ceux qui vous invitent et que vous n'avez pas envie de voir, je vous suggère de répondre avec le sourire que vous êtes un peu fatiguée et que vous avez envie de rester seule. [...]

Cher (chère)...

Voilà maintenant un mois que j'ai pris mon poste à la Banque du Rhône à Lyon. Le travail me plaît. Je suis correctement logé(e) et la ville est intéressante. Ce ne sont pas les possiblités de spectacles qui manquent.

Mais je dois t'avouer que je me sens un peu seul(e). Ici, je ne connais personne. Les collègues sont sympathiques mais après le travail, tout le monde rentre chez soi et je me retrouve dans mon studio devant la télévision. Personne ne m'a encore invité(e). On dit pourtant que les Lyonnais sont accueillants...

J'habite un grand immeuble et c'est tout juste si j'ai aperçu deux de mes voisins dans l'ascenseur. [...]

Si ça continue, je crois que je vais commencer à déprimer. [...]

Conseiller – Déconseiller – Suggérer

• Conseiller
Je te conseille de…
À ta place, je ferais
        j'aurais fait } conditionnel

Si j'étais à votre place (si j'étais vous)…
Si j'avais été à votre place…
Si j'avais un conseil à vous donner, ce serait de…

• Déconseiller
Je vous déconseille de…
Vous ne devriez pas… (vous n'auriez pas dû…)
Évitez de… Essayez de ne pas…
À votre place… Si j'étais vous…

• Suggérer
Tu pourrais… (tu aurais pu…) – Tu devrais (tu aurais dû…)
Pour ne pas… (pourquoi ne pas avoir…) – Et si tu faisais… (et si tu avais fait…)
Je te suggère de…

---

10 Conseiller – Suggérer
Déconseiller – Mettre en garde dans diverses situations

Pour chacune des situations suivantes, rédigez un court paragraphe selon les instructions. Utilisez les expressions du tableau ci-dessus.

a. **Regrets sur un événement passé.**

Myriam voulait être médecin. Elle avait commencé ses études de médecine. Mais en troisième année, elle s'est mariée, a eu un enfant et a été obligée de travailler. Elle a abandonné ses études et, maintenant, elle le regrette.

→ Dites-lui ce qu'elle aurait pu faire. Il y avait d'autres solutions : demander un prêt pour études, reprendre les études après quelques années de travail (après avoir fait quelques économies), etc.

b. **Mise en garde.**

Vous connaissez bien Didier Chaurand. Il est séduisant mais malhonnête, hypocrite, sans scrupules et sans cœur. Une de vos amies est tombée amoureuse de lui. Vous êtes persuadé(e) qu'elle le regrettera un jour et qu'elle sera malheureuse.

→ Mettez-la en garde. Conseillez-lui de bien observer le personnage. Suggérez-lui de prendre un peu de distance.

c. **Conseils et suggestions.**

Un ami français qui cherchait du travail vient d'en trouver en Allemagne. Mais dans six mois, il doit parler parfaitement l'allemand, une langue dont il ne connaît pas un mot.

→ Donnez-lui des conseils. Dites-lui ce qu'il faut faire, ce qu'il faut éviter de faire.

UNITÉ 5 Leçon 14

VOCABULAIRE

1 Nature, activités agricoles et saisons

À quel moment de l'année peut-on, en France,
entendre les phrases suivantes ?
Indiquez-le dans le calendrier.

a. Les feuilles des arbres tombent.

b. On récolte les fraises et les cerises.

c. Les agriculteurs labourent les champs.

d. Le muguet fleurit.

e. Les agriculteurs vendangent les vignes.

f. Les arbres sont en fleurs.

g. Il faut arroser le jardin tous les jours.

h. On trouve des framboises et des myrtilles
dans les forêts.

i. Le beaujolais nouveau est arrivé.

j. Les pêches sont mûres.

k. On sème le blé.

l. On plante les bulbes de tulipes.

PRINTEMPS
(20 mars – 20 juin)

ÉTÉ
(21 juin – 21 septembre)

AUTOMNE
(22 septembre – 20 décembre)

HIVER
(21 décembre – 19 mars)

2 Propre et sale

a. Complétez les phrases avec un verbe de la liste.

– Il a les cheveux gras. Il doit …

– L'eau de la source est polluée. Avant de la boire, il faut la …

– Ce costume est taché. Il faut le faire …

– Après le repas, pour une meilleure hygiène, il faut … les dents.

– L'appartement n'a pas été occupé depuis trois mois. Il faut … le sol
et … les meubles.

- balayer
- (se) brosser
- dépoussiérer
- faire un shampooing
- filtrer
- nettoyer
- purifier

b. Trouvez le sens des mots « sale » et « propre » dans les phrases suivantes.

Je n'aime pas ce type. Je trouve qu'il a une _sale_ tête. D'ailleurs, il paraît qu'il a été condamné pour une _sale_ histoire. Son entreprise blanchissait l'argent _sale_ de trafiquants de drogue.

… Alors, le metteur en scène m'a dit : « Je ne vous crois pas _propre_ à jouer ce rôle. » Ce sont ses _propres_ paroles. Mais tout cela n'est pas _propre_ à m'inquiéter. Je suis sûr qu'il me proposera un autre rôle.

- antipathique
- capable
- malhonnête
- à lui (à elle)
- illégal
- susceptible de…
(sujet à…)

3 Les paysages

a. Lisez le texte suivant.

LA CASAMANCE
L'OASIS SÉNÉGALAISE

À l'extrême sud du Sénégal, coincée[1] entre la Gambie et la Guinée, la Casamance s'étire comme une longue langue de terre jusqu'à l'océan Atlantique. Région de contrastes, côté mer, elle offre de longues plages de sable fin qui s'étendent à perte de vue[2] ; côté terre, de part et d'autre du fleuve qui lui a donné son nom, une mosaïque de paysages où se mêlent palmeraies, champs de cultures aux étonnantes variétés d'arbres fruitiers : bananiers, manguiers, papayers… Mais la Casamance, c'est aussi une multitude de populations isolées dans la brousse.

La meilleure façon de découvrir la Casamance, c'est de partir de Cap Skirring et de longer le fleuve jusqu'à Ziguinchor, capitale de la région et autrefois escale de bateaux d'esclaves. En taxi, en car de brousse ou en 4x4. Mais la pirogue reste le moyen de transport le plus pittoresque. Au fil de l'eau, la forêt tropicale paraît encore plus mystérieuse et d'une tranquillité impressionnante…

Pourtant, l'activité y est incessante. Çà et là, des envols de hérons, d'aigrettes, de martins-pêcheurs ou les plongeons de quelques crocodiles surpris pendant leur sieste.

Il faut constamment être à l'affût[3] des petits villages de pêcheurs cachés dans l'exubérance[4] de la forêt. Chaque communauté a ses particularités. Carrées ou rondes, les habitations ont parfois une architecture surprenante (…).

Mais l'intérieur des terres n'est pas le seul charme de la Casamance. Autour de Cap Skirring, la côte est un véritable paradis avec ses superbes plages de sable inondées de soleil, bordées de palmiers et de fromagers gigantesques.

E. Poirson, *Modes et Travaux*, octobre 1994.

1. Bloquée ; ici, entourée en partie.
2. Jusqu'à un horizon très lointain.
3. Bien surveiller sans se laisser distraire.
4. Abondance, profusion.

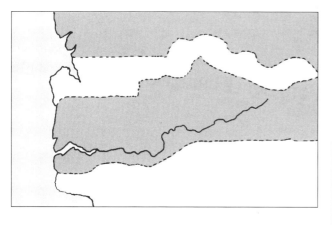

b. Complétez la carte ci-contre avec les noms de lieux qu'on trouve dans le texte (sur cette carte, les parties blanches sont des pays autres que le Sénégal).

c. En lisant le texte, relevez le vocabulaire qui fait partie des thèmes suivants.

la terre	une langue de terre – une plage
l'eau	un océan – une mer
les végétaux	
les animaux	
les activités des hommes	

d. Choisissez douze photos qui pourraient illustrer ce texte.

1. Carte de la Casamance
2. Plage bordée de palmiers
3. …

GRAMMAIRE

4 L'expression du but

Des parents expliquent dans quels buts ils font faire beaucoup d'activités à leurs enfants en dehors de l'école. Formulez ces buts en utilisant *pour que* + subjonctif ou *pour* + infinitif.

→ « Nous leur faisons faire de la musique pour qu'ils sachent jouer d'un instrument… »

- Après l'école nous leur faisons faire de la musique… Ils sauront jouer d'un instrument de musique.
- Ils font aussi du théâtre et de la danse… Leur sens artistique se développera.
- Ils passent leurs week-ends avec le Centre sportif municipal. Ils font du ski, de la marche, du tennis… Ils ont la possibilité de se faire des copains. Ils seront sportifs.
- En été, nous les mettons dans une colonie de vacances… Comme ça nous sommes tranquilles… Nous pouvons faire ce que nous voulons.

5 Introduire un nom exprimant la cause

Rédigez une phrase à partir de ces titres de presse en utilisant les expressions de la liste.

Projet de loi sur les universités

Les étudiants en grève

Déclaration du prix Goncourt :
« Le prix Goncourt me rapportera une somme importante. Je vais enfin pouvoir me consacrer uniquement à l'écriture. »

FÊTES DU 14 JUILLET
Circulation interdite sur l'avenue des Champs-Élysées.

CONSTRUCTION
D'UN NOUVEAU PONT
SUR LA SEINE
Circulation facilitée entre Le Havre et Honfleur.

■ à cause de…
■ à force de…
■ en raison de…
■ grâce à…

Deux ans d'entraînement intensif pour le couple de patineurs
ILS REMPORTENT LE CHAMPIONNAT DU MONDE

6 Introduire une proposition de cause

Complétez avec *parce qu(e)*, *car*, *comme*, ou *puisque*.

À la maison, un samedi après-midi.

ELLE : Où tu vas ? Tu sors ?

LUI : Oui, … il fait beau, je vais faire un petit tour en ville. Il faut que j'aille à la bibliothèque … je veux emprunter un livre.

ELLE : … tu vas dans ce quartier, tu pourrais t'arrêter au théâtre municipal ?

LUI : Pourquoi ?

ELLE : … j'ai retenu deux places pour le concert de jazz de mardi. Tu pourrais les prendre.

LUI : Il y en a une pour moi ?

ELLE : Ben, non … tu détestes le jazz, j'y vais avec Marylène.

LUI : Eh bien, … vous sortez toutes les deux mardi, j'inviterai François à venir faire une partie d'échecs.

7 Les verbes exprimant la cause ou la conséquence

Complétez avec un verbe de la liste. Dans le premier paragraphe, exprimez la cause. Dans la suite, exprimez la conséquence.

Débat au sujet du service militaire.

> ACTUELLEMENT, L'ARMÉE FRANÇAISE COMPTE 500 000 MILITAIRES COMPOSÉS POUR MOITIÉ DE PROFESSIONNELS ET POUR L'AUTRE MOITIÉ D'APPELÉS (JEUNES GENS QUI FONT LEUR SERVICE MILITAIRE). UN PROJET DE LOIS PROPOSE DE SUPPRIMER LE SERVICE MILITAIRE ET DE CRÉER UNE ARMÉE DE PROFESSIONNELS COMME DANS D'AUTRES PAYS.

- être causé par…
- être à l'origine de…
- venir de…

- créer
- entraîner
- permettre
- produire
- provoquer
- rendre (+ adjectif)

Ce sont bien sûr les changements politiques importants intervenus dans le monde depuis 1990 qui … de ce projet. Mais la nécessité de réduire le nombre des militaires … aussi des dépenses énormes … par l'entretien de 500 000 hommes.

La réduction de l'armée à 200 000 professionnels aura des conséquences importantes. D'abord, elle … de réduire les dépenses militaires et elle … l'armée plus compétitive et plus adaptée.

Mais elle … aussi la fermeture de casernes dans certaines villes. Le départ des militaires … une baisse de la consommation et handicapera l'économie locale.

Elle … par ailleurs une augmentation des demandeurs d'emploi car beaucoup de jeunes qui font leur service militaire n'ont aucune formation.

Enfin, la suppression du service militaire … une coupure entre la population et son armée.

8 Donner une explication en présentant les causes et les conséquences d'un fait

À partir des notes suivantes, rédigez une présentation des causes et des conséquences de la pollution dans les villes. Variez l'expression de la cause et de la conséquence.

→« Dans les grandes villes, la pollution est principalement due à … »

La pollution dans les villes	
Causes	Conséquences
• Pollution de l'air – gaz d'échappement des véhicules – fumées des appareils de chauffage – usines • Pollution par les déchets – ramassage insuffisant – négligence des habitants – animaux domestiques • Pollution par le bruit – véhicules – foires, fêtes de plus en plus nombreuses, etc.	• Troubles respiratoires chez les enfants et les personnes âgées • Dégradation des façades d'immeubles et des monuments historiques • Troubles psychologiques : tension, stress, nervosité • Augmentation du nombre d'animaux porteurs de maladies (rats, oiseaux, etc.)

ÉCRITS ET ÉCRITURES

9 Compréhension d'un texte informatif

« Il faut mettre fin à l'impérialisme de l'automobile dans nos villes et donner la priorité aux transports collectifs. » Depuis le 26 juin 1993, le député-maire de Toulouse, Dominique Baudis, dispose d'un instrument à la mesure de son discours : le VAL (Véhicule automatique léger), ce métro sans pilote qui circule déjà à Lille et permet de transporter jusqu'à 120 000 personnes par jour. Traversant la ville rose sur 10 km, cette ligne dessert[1] 15 stations en 17 minutes. La construction d'un second axe est prévue en 1996. À Grenoble, le « tram » permet aux piétons de regagner peu à peu l'espace public. Implanté en 1987 dans le centre-ville, le TAG (Tramway de l'agglomération grenobloise) circule toutes les 4 minutes aux heures de pointe. Le nombre de déplacements effectués en voiture a baissé de 5 % en sept ans, tandis que l'usage des transports en commun a augmenté de 18 %. Les prolongements de ses deux lignes lui permettront, dès 1996 et 1997, de desservir les communes de banlieue. L'exemple fait tache d'huile[2]. Après Saint-Denis, Rouen s'apprête[3] à lancer sur les rails son tramway, baptisé « métrobus ». Depuis octobre, les Strasbourgeois redécouvrent leur cité à bord d'un nouveau tramway à plancher bas intégral, doté[4] de larges baies vitrées. Il devrait permettre de désengorger[5] la ville tout en la préservant du bruit et de la pollution. Caen sera la première ville d'Europe à disposer du TVR, nouveau mode de transport sur voie réservée. Cet engin sur pneus fonctionne à l'électricité. Il est guidé par un rail encastré[6] au milieu de la chaussée. Chaque rame embarque jusqu'à 150 personnes. Le TVR peut aussi rouler hors du rail, comme un bus. En 1995, Paris se dotera d'un système de localisation des autobus par satellite. Installé sur l'un des principaux axes de la capitale, ce dispositif permettra de suivre l'évolution de chaque véhicule en temps réel. Toutes les minutes, un bandeau d'affichage, installé aux arrêts les plus fréquentés, indiquera aux voyageurs le temps d'attente pour les deux prochains bus. [...] Autoroutes et nouveaux métros devraient enfin sortir l'Ile-de-France du chaos automobile... en 2015. En attendant, et pour réduire la pollution atmosphérique, le conseil régional envisage un système de « covoiturage », qui inciterait les conducteurs à partager leur véhicule. [...]. L'indemnisation du conducteur s'effectuera par « timbres kilométriques » remis par le ou les passagers, transformables en bons d'essence. 30 % des Franciliens[7] seraient prêts à adopter ce système, qui soulagerait le trafic de 2,5 à 5 %. Dans quelques mois, Grenoble et Tours expérimenteront le premier système de voitures électriques en libre-service. À Grenoble, des bornes interactives commanderont l'accès au réseau Vega. Objectif : installer un nouveau mode de « transport public individuel », silencieux, non polluant et moins dévoreur d'espace. Après utilisation par le client, la voiture sera reprise par un autre qui la conduira dans un autre site, et ainsi de suite.

À venir, novembre 1994.

1. Ici, circule dans...
2. Se développe progressivement, s'étend (comme la tache faite par une goutte d'huile).
3. Verbe qui introduit un futur proche (va bientôt lancer...).
4. Équipé de...
5. Supprimer les embouteillages.
6. Fixé à l'intérieur de...
7. Habitants de l'Île-de-France (la région parisienne).

a. Faites une première lecture rapide de ce texte compact. Donnez-lui un titre provisoire.

b. Lisez le texte en détail. Pour chaque moyen de transport nouveau, indiquez le nom, les caractéristiques, le lieu où il est utilisé (ou bien sera bientôt utilisé), les avantages et les inconvénients (ceux qui sont précisés dans le texte et ceux que vous pouvez imaginer).

	Moyens de transport et caractéristiques	Lieux	Qualités (+) et défauts (-)
1	Le VAL – métro léger – sans pilote	Toulouse	(+) 120 000 personnes transportées par jour
		Lille	(-) Dessert seulement deux axes

c. Organisez cet article de façon à le rendre plus lisible.

– Découpez-le en paragraphes et donnez un titre à ces paragraphes.

– Séparez les paragraphes par des photos choisies dans la page ci-contre.
  Rédigez une brève légende pour chaque photo.

– Donnez un titre définitif à l'article.

Le TAG, Grenoble.

Le VAL, Toulouse.

Véhicules électriques.

Le TVR, Caen.

UNITÉ 5 — *Leçon* **15**

VOCABULAIRE

1 Autorisations et interdictions

a. Lisez les informations ci-dessous.

ⓐ
■ PEUT-ON NE PAS METTRE D'ARGENT DANS LES PARCMÈTRES ET LES HORODATEURS ?

Quand on gare sa voiture dans une zone de stationnement payant, il est obligatoire de mettre des pièces dans le parcmètre ou l'horodateur. Mais une loi précise qu'un consommateur est libre de payer une somme de moins de 250 F* en pièces ou en billets.
Vous êtes donc autorisé à dire que vous n'avez que des billets et que vous ne pouvez pas payer le parcmètre. Mais il est déconseillé de le faire.

* 250 F = 38,11 €

ⓑ
Quand vous achetez un téléviseur, vous devez déclarer votre nom et votre adresse. Ces informations sont transmises par le commerçant au service des impôts qui vous demandera de payer tous les ans votre redevance (taxe) sur les téléviseurs.

Mais si vous réglez votre téléviseur en espèces, la présentation d'une pièce d'identité est facultative. Vous pouvez donc déclarer un faux nom et une fausse adresse. Mais il n'est pas conseillé de le faire.

LES BIZARRERIES DE LA LOI

ⓒ
Le propriétaire de l'immeuble que vous habitez a posé un panneau dans le couloir : « Ici, les animaux ne sont pas tolérés. » Il n'a pas le droit de le faire. Et vous pouvez très bien posséder un animal. Mais il est recommandé de choisir un animal qui ne gêne pas les voisins.

ⓓ
Quelques branches du cerisier de votre voisin passent par-dessus le mur de votre jardin. Il vous est interdit de cueillir des cerises sauf si elles sont tombées sur le sol. En revanche, vous pouvez dire à votre voisin qu'il ne lui est pas permis d'entrer dans votre jardin pour cueillir ses fruits.

b. Donnez un titre aux trois informations qui n'en ont pas.

D'après Réponse à tout.

c. Relevez les adjectifs et les participes passés
dont le sens va de l'interdiction à l'obligation.

Classez-les dans le
diagramme ci-contre.

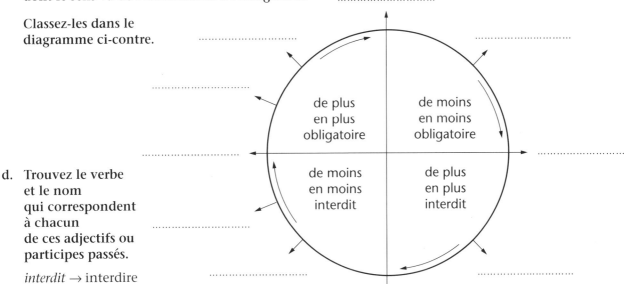

....

....

....

....

de plus
en plus
obligatoire

de moins
en moins
obligatoire

de moins
en moins
interdit

de plus
en plus
interdit

....

....

....

....

......*interdit*.......

d. Trouvez le verbe
et le nom
qui correspondent
à chacun
de ces adjectifs ou
participes passés.

interdit → interdire
            interdiction

toléré → ...

e. Que dites-vous (que diriez-vous) dans les situations suivantes.
Utilisez les verbes de l'exercice précédent.

1. Votre fils vient d'avoir un an. Il touche tout et s'amuse avec une prise de courant.

2. Votre fille va au collège. Elle a d'habitude d'excellentes notes. Exceptionnellement, ce trimestre
elle a eu de mauvaises notes.

3. Quand votre fils de 16 ans sort le soir, il doit rentrer à 11 heures. Exceptionnellement, ce samedi
soir, il vous demande s'il peut rentrer à 3 heures du matin.

4. Au moment de partir en week-end à la campagne, votre fille de 13 ans n'a pas fini ses devoirs
pour lundi.

5. Vos enfants ont l'habitude de participer aux tâches ménagères (débarrasser la table, ranger
la vaisselle dans le lave-vaisselle, etc.). Mais aujourd'hui, il y a un film qui peut les intéresser
à la télévision.

2 Commander et obéir

Complétez avec les verbes du tableau.

- Le général Dupuis ... l'armée. Il vient d(e) ... aux troupes d'attaquer.
Tous les soldats doivent ... ses ordres.

- L'entraîneur de l'équipe de football ... que tous les joueurs soient
présents à l'entraînement s'ils veulent gagner la coupe de France. Ils
doivent ... à un entraînement régulier.

- Nous avons des voisins qui faisaient la fête
toutes les nuits. Le bruit nous ... de dormir.
Nous leur avons fait un procès. Ils ont été ...
d'arrêter de faire du bruit.

- Dans les internats, jusqu'à la fin des années
60, on ... des règles très strictes. Tous les élèves
devaient ... au règlement.

- Les enfants doivent ... à leurs parents. Mais
beaucoup de parents ... aux caprices de leurs
enfants.

Demander à quelqu'un de faire quelque chose	Accepter de faire quelque chose
commander	céder
empêcher	exécuter
exiger	obéir
forcer	se conformer à
imposer	se soumettre à
ordonner	

GRAMMAIRE

3 Situation dans le temps

Pierre et Manon font un grand voyage autour de la Méditerranée. Utilisez le tableau des étapes de leur voyage pour continuer les deux récits suivants :

a. À Montpellier, le 24 juillet, Pierre rencontre un ami. Il lui raconte ce qu'il a fait et ce qu'il fera.
→ « Aujourd'hui, nous sommes à Montpellier. Hier, nous avons visité… »

b. Six mois plus tard, Manon raconte son voyage à une amie.
→ « Le 24 juillet, nous étions à Montpellier. La veille, nous avions visité… »

Rédigez ces récits sans employer de dates et en utilisant les verbes de la liste.

Mai			Maroc
Juin			Espagne
Juillet	Semaine du 15 juillet		Pyrénées
	Semaine du 22 juillet	22	Carcassonne
		23	Béziers
		24	Montpellier
		25	Plage
		26	Nîmes
	Semaine du 29 juillet au 4 août		Provence
Août			Italie
Septembre			Sicile

- aller
- s'arrêter à
- se balader
- faire le tour de…
- faire du tourisme en…
- se reposer
- rester
- traverser
- visiter
- voyager

4 Constructions avec deux pronoms

a. Constructions avec le présent de l'indicatif.
Complétez les réponses en utilisant deux pronoms.

Deux jeunes gens parlent de la générosité de leurs parents.

JULIEN : Est-ce que tes parents te font des cadeaux ?

SYLVIE : Oui, ils … pour mon anniversaire et quand je réussis à un examen.

JULIEN : Est-ce qu'ils te donnent de l'argent ?

SYLVIE : Oui, ils …

JULIEN : Ils en donnent autant à ton frère ?

SYLVIE : Non, ils … plus parce qu'il a 20 ans.

JULIEN : Est-ce que ton père te prête sa voiture ?

SYLVIE : Non, il …

JULIEN : Et à ton frère ?

SYLVIE : Oui, il … quelquefois.

JULIEN : Est-ce que ton père offre des fleurs à ta mère ?

SYLVIE : Oui, il … tous les dimanches.

JULIEN : Est-ce que ton père te dit quelquefois combien il gagne ?

SYLVIE : Non, il … jamais.

b. Constructions avec le passé composé.
Complétez les réponses en utilisant deux pronoms.

ELLE : Dis donc, ça fait longtemps qu'on n'a pas eu de nouvelles de Stéphanie et de Patrick. Est-ce qu'on les aurait fâchés ? La dernière fois qu'on est allés chez eux, est-ce que j'ai offert des fleurs à Stéphanie ?

LUI : Mais oui, …

ELLE : Est-ce que tu as emprunté de l'argent à Patrick ?

LUI : Ah non ! …

ELLE : Est-ce qu'on leur a rendu le livre d'art qu'ils nous avaient prêté ?

LUI : Bien sûr que oui, …

ELLE : Est-ce que tu as donné à Patrick les renseignements qu'il t'avait demandés ?

LUI : Évidemment, …

ELLE : Est-ce qu'on a annoncé à Stéphanie et à Patrick que tu allais devenir directeur ?

LUI : Ben non, …

c. **Constructions à l'impératif. Ils insistent. Continuez comme dans l'exemple.**

• *Un père aide son fils à faire ses devoirs. La mère intervient.*

Exemple : Michel ! Ne fais pas les devoirs de ton fils ! → *Ne les lui fais pas !*

Mais tu peux lui donner des conseils… !

Tu peux aussi lui expliquer ce qu'il faut faire… !

Tu peux aussi lui dire si ce qu'il fait est juste ou faux… !

Mais ne lui donne pas trop d'explications quand même… !

• *Bavardage entre deux jeunes filles.*

– Tu peux me montrer la photo de Patrick. S'il te plaît… !

– D'accord, mais ne dis pas à Patrick que je te l'ai montrée, hein… !

– Au fait, tu peux me donner l'adresse de Patrick ? S'il te plaît… !

5 Les emplois de l'imparfait

Recherchez dans le tableau le sens des imparfaits de chaque phrase.

L'imparfait traduit…

a. Une action qui se déroule (ou un état des choses) pendant qu'un événement se produit.
Il dormait quand je suis entré.

b. Une action habituelle ou répétée.
Je partais tous les matins à 8 heures.

c. Une hypothèse.
S'il faisait beau…

d. Une phrase prononcée au présent et rapportée plus tard.
Hier, il m'a dit qu'il travaillait.

1. Si vous partiez en vacances avec nous, nous vous ferions découvrir des endroits formidables.

2. En 1970, Patricia avait 18 ans. Elle était serveuse dans un restaurant mais suivait régulièrement les cours de l'université.

3. J'ai téléphoné à Annie. Elle m'a rassurée sur sa santé. Elle m'a affirmé qu'elle allait mieux.

4. Au moment où le conférencier terminait son exposé, quelqu'un s'est levé et lui a posé une question.

5. Quand nous sommes arrivés à Lille, il pleuvait.

6. Bonjour ! Je venais vous demander si vous n'auriez pas un dictionnaire d'anglais à me prêter.

ÉCRITS ET ÉCRITURES

6 Faire respecter vos droits

a. Lisez la fiche ci-contre.

- À qui s'adresse-t-elle ? Où peut-on trouver ce type de document ?

- Trouvez cinq autres sujets de fiches qu'on pourrait trouver dans le même magazine ou le même livre.

b. Rédigez deux fiches du même type à partir des deux documents ci-dessous. Organisez ces deux fiches de la même manière que ci-contre.

On vous propose un loyer trop cher...
Devez-vous signer ?

Vous avez enfin trouvé l'appartement de vos rêves. Mais le loyer qu'on vous demande est cher pour le quartier : 4 000 F[1] par mois hors charges, alors que vous connaissez quelqu'un qui loue, aux alentours, un logement semblable pour 3 400 F[2]. Vous avez tenté de négocier le prix avec le propriétaire, mais rien n'y a fait.

Un conseil : n'insistez pas et signez le bail aux conditions proposées. Ce serait dommage de passer à côté d'une bonne affaire... surtout quand la loi vous permet, le contrat signé, de contester un loyer surévalué.

Il faudra alors, dans les deux mois suivant la signature, prouver à la commission départementale de conciliation que le loyer proposé est trop cher. Pour cela, adressez-vous à l'observatoire des loyers, s'il en existe un près de chez vous. Il vous fournira des références de loyers moins chers pour des logements comparables au vôtre dans le quartier. S'il n'y a pas d'observatoire à proximité, demandez à vos voisins qui paient moins cher de vous fournir la photocopie de leur bail.

1. 609,80 €. - 2. 518,33 €.

Le Grand Livre de Réponse à tout,
Albin Michel, SA / Alain Ayache, 1995.

RETARD DANS LES DÉLAIS DE LIVRAISON

Les faits

Vous avez commandé un produit et la livraison devait être faite dans les quinze jours. Un mois plus tard, vous n'avez toujours pas reçu votre commande.

Vos droits

Si le vendeur ne respecte pas les délais de livraison, l'acheteur pourra demander la résiliation de la vente et la restitution de son acompte.

La lettre

« En date du 25 mars, je vous ai passé commande d'un lave-linge Star. J'ai versé un acompte de 150 €. Le bon de commande prévoyait que la livraison devait avoir lieu avant le 10 avril. Ce délai étant passé, je vous prie de bien vouloir annuler ma commande et de me restituer l'acompte que je vous ai versé... »

Adresse-toi à la mairie ! Ils ont un service de nettoyage gratuit pour ce type de dégradation. Ils effacent les tags et te repeignent les murs.

Il te suffit de faire une lettre dans laquelle tu précises que tu es propriétaire de la maison et que tu leur donnes l'autorisation de faire le nettoyage.

Tu as vu ça ! Des imbéciles ont tagué ma porte et mon mur !

7 L'évocation des souvenirs

a. Lisez le texte ci-contre. Relevez et classez les détails qui montrent que la vie quotidienne a profondément changé depuis le début du XXe siècle.

Exemple :

Habitation → rudimentaire (toit de chaume, pas de revêtement sur le sol),
Nourriture → produits du jardin, dons
Mentalités → …

b. Imitez ce récit de souvenirs. Choisissez l'une des trois propositions suivantes et rédigez votre texte à l'imparfait.

1. Racontez vos modes de vie, vos habitudes dans votre enfance.

2. Situez votre évocation dans une époque passée que vous connaissez bien (la Préhistoire, le XVIIIe siècle, etc.).

3. Imaginez que l'un de vos arrière-petits-enfants fasse, aux environs de l'an 2100, le récit de votre vie actuelle.

L'auteur raconte la vie de ses grands-parents au début du XXe siècle dans un village de Normandie.

Ils habitaient une maison basse, au toit de chaume, au sol en terre battue. Il suffit d'arroser avant de balayer. Ils vivaient des produits du jardin et du poulailler, du beurre et de la crème que le fermier cédait à mon grand-père. Des mois à l'avance ils pensaient aux noces et aux communions, ils y arrivaient le ventre creux de trois jours pour mieux profiter. […].

Le signe de croix sur le pain, la messe, les pâques. Comme la propreté, la religion leur donnait la dignité. Ils s'habillaient en dimanche, chantaient le Credo en même temps que les gros fermiers, mettaient des sous dans le plat. Mon père était enfant de chœur, il aimait accompagner le curé porter le viatique. Tous les hommes se découvraient sur leur passage.

Les enfants avaient toujours des vers. Pour les chasser, on cousait à l'intérieur de la chemise, près du nombril, une petite bourse remplie d'ail. L'hiver, du coton dans les oreilles. […].

Il faisait deux kilomètres à pied pour atteindre l'école. Chaque lundi, l'instituteur inspectait les ongles, le haut du tricot de corps, les cheveux à cause de la vermine. Il enseignait durement, la règle de fer sur les doigts, respecté. Certains de ses élèves parvenaient au certificat dans les premiers du canton, un ou deux à l'école normale d'instituteurs. Mon père manquait la classe, à cause des pommes à ramasser, du foin, de la paille à botteler, de tout ce qui se sème et se récolte.

Annie Ernaux, *La Place*, Gallimard, 1983.

À LA DÉCOUVERTE DES ANIMAUX
ET DES VÉGÉTAUX DANS LE LANGAGE

Jusqu'au début du XXᵉ siècle, plus de la moitié des Français étaient des agriculteurs (moins de 1% aujourd'hui). Il n'est donc pas étonnant que le vocabulaire de la nature ait servi à créer de nombreuses expressions.

8 Les animaux

Le Français dort comme un loir, a une faim de loup, un œil de lynx, une vie de chien. Pour être toujours prêt à se faire aussi gros qu'un bœuf ou à passer par un trou de souris, il lui faut être rusé comme un renard. Quoique l'amour, dont il fait souvent son cheval de bataille, le rende gai comme un pinson et léger comme une plume, il n'aime pas faire le pied de grue et rester comme l'oiseau sur la branche. Si donc on lui pose trop de lapins, surtout par un froid de canard, il aura vite la puce à l'oreille et […] n'hésitera pas à prendre le taureau par les cornes […]. Il en tombera peut-être malade comme un chien, au point d'en avoir une fièvre de cheval, mais il saura rester, sur ses mésaventures, muet comme une carpe car, s'il est parfois bavard comme une pie, il sait aussi mettre un bœuf sur sa langue, avouez que c'est un drôle de zèbre.

Pierre Daninos, *Le Jacassin*, Hachette, 1962.

a. Dans ce texte de l'humoriste P. Daninos, relevez et classez toutes les expressions formées avec des noms d'animaux.

1. Expressions comparatives

– avec *comme* → dormir comme un loir, …

– avec *de* → avoir une faim de loup, …

– avec comparatif → se faire plus gros qu'un bœuf

Comparez les expressions comparatives avec leur équivalent dans votre langue :

Exemple : En anglais, on dit « dormir comme un morceau de bois ».

2. Autres expressions

– passer par un trou de souris,…

Donnez le sens et un exemple d'emploi des autres expressions :

Exemple : Passer par un trou de souris → être timide, gêné : « Quand il a vu que Marie était aussi invitée à la soirée, il serait passé dans un trou de souris ».

b. Trouvez dans la liste les qualités et les défauts associés aux animaux suivants.
Ces associations d'idées peuvent servir à former des expressions.

un âne	un chien
un lion	un loup
un mouton	un pigeon
un porc	un pou
un requin	un veau

■ l'ambition
■ l'agressivité
■ la bêtise
■ un comportement uniforme et sans originalité
■ la cupidité
■ l'énergie
■ l'entêtement
■ la faim
■ la fidélité

■ le manque d'agressivité
■ un mauvais élève (l'ignorance)
■ le manque de savoir-vivre
■ la malhonnêteté
■ la naïveté
■ la saleté
■ une vie difficile
■ le voyage

Exemple : L'âne → l'entêtement : Pierre est têtu comme un âne

→ un mauvais élève : il n'apprend rien à l'école. C'est un âne.

Arcimboldo, *L'automne,* 1573, musée du Louvre.

Au XVIᵉ siècle, le peintre italien Arcimboldo a imaginé des portraits composés de fruits et de légumes.

Pouvez-vous reconnaître ces fruits et ces légumes.

Le *Bébête show* à la télévision.

Dans cette émission, les hommes politiques et les personnalités célèbres sont représentés par un animal.

Pouvez-vous reconnaître ces personnalités et les animaux qui les représentent ?

Par quel animal représenteriez-vous vos voisin(e)s de classe ? votre professeur ? vous-même ?

9 Les fruits et les légumes

a. **À l'aide des mots de la liste, trouvez le sens des expressions en italique.**

- Il vient d'avoir une augmentation de salaire : « *Ça mettra un peu de beurre dans les épinards.* »

- À la sortie du cinéma : « *Ce film est un navet.* »

- Après une longue discussion entre mari et femme : « *J'en ai assez de tes salades.* »

- Après un long marchandage entre le client et le vendeur : « *On va couper la poire en deux.* »

- Vers la fin du match de football. Le supporter de l'équipe qui perd par 3 à 0 : « *Les carottes sont cuites !* »

- Au moment de payer sa part après un repas qu'il a fait avec des amis : « *Je n'ai pas un radis.* »

- améliorer
- mauvais
- partager (faire un compromis)
- plus d'espoir
- sans argent
- situation compliquée

b. **Emplois familiers et argotiques. D'après le contexte, essayez de trouver le sens des mots ou expressions soulignés.**

Deux truands ont cambriolé une banque. Mais l'un d'eux a voulu partir avec l'argent. La suite s'est mal passée.

Pour organiser ce coup, je _m'étais pressé le citron_. Mais il a voulu partir avec tout _le blé_. J'aime pas qu'on se moque de _ma pomme_ et qu'on _me prenne pour une poire_. Alors on s'est battus. Je lui ai envoyé _une châtaigne_ dans _la fraise_… Il a sorti son revolver. Moi, le mien. Mais ce jour-là, _j'avais pas la pêche_. J'ai pris _une prune_ dans le bras. _Le raisin_ a coulé…

VOCABULAIRE

1 Les petits commerçants

Les noms des professions qui appartiennent à la catégorie des petits commerçants ont tendance à disparaître.

La plupart du temps, les Français disent :

« Je vais chez le vendeur de…, le marchand de…, » ou « chez + le + la + nom du magasin ».

Voici quelques noms de professions qui restent encore très utilisés. Complétez le tableau.

La profession	Le magasin	L'activité principale du commerçant
		Il/elle fabrique et vend du pain.
le boucher / la bouchère		
	une pâtisserie	
		Il/elle vend du poisson.
le charcutier / la charcutière		
	une épicerie	
le quincaillier / la quincaillière		
		Il/elle vend des fleurs.
		Il/elle cuisine des plats, organise des repas.
le teinturier		
	une bijouterie	

2 Les petits artisans

a. À quel artisan de la liste faites-vous appel dans les circonstances suivantes ?

a. Un carreau d'une de vos fenêtres est cassé.

b. Vous ne supportez plus la peinture de votre cuisine.

c. Vous transformez une grande pièce en deux chambres.

d. Le bois de la fenêtre est pourri par la pluie.

e. En rentrant chez vous, vous vous apercevez que vous avez perdu votre clé.

f. Vous avez un chauffage électrique. Vous voudriez faire installer un chauffage au gaz.

g. Vous voulez faire mettre une nouvelle semelle à vos chaussures.

h. Vous voulez faire faire des cartes de visite.

i. Vous voulez supprimer les rides de votre visage.

j. Votre installation électrique est très vieille et non conforme aux normes actuelles.

k. Vous voulez vous faire couper les cheveux.

- coiffeur/coiffeuse
- cordonnier
- électricien
- esthéticienne
- imprimeur
- maçon
- menuisier
- peintre
- plombier-chauffagiste
- serrurier
- vitrier

b. Vous téléphonez à ces artisans. Que leur dites-vous après avoir exposé votre problème.

Exemple : a. « Quand est-ce que vous pourriez venir me changer cette vitre ? »

3 Le travail

a. Lisez le document suivant.

LES 12 AVANTAGES QUE VOUS APPORTE LE TRAVAIL

1. LA DIRECTION

Le travail peut donner l'occasion de diriger les autres et de planifier les opérations d'une entreprise.

2. L'ESTHÉTIQUE

Le travail peut aussi fournir l'occasion de créer de belles choses et d'aménager l'environnement d'une manière harmonieuse.

3. LES AVANTAGES MATÉRIELS

Le travail permet d'abord et avant tout de gagner un salaire et de satisfaire des besoins matériels.

4. LA DIVERSITÉ

Le travail peut permettre de répondre à un besoin de changement. Il devrait donner l'occasion de faire beaucoup de choses différentes.

5. LA SÉCURITÉ D'EMPLOI

Ce qui compte avant tout, c'est d'être assuré d'un emploi stable, surtout en période de crise économique.

6. LA STIMULATION INTELLECTUELLE

Le travail peut fournir l'occasion de résoudre des problèmes, d'apprendre et de penser.

7. LE PRESTIGE

Le travail peut donner l'occasion de se faire valoir socialement et d'impressionner favorablement les autres.

8. L'ALTRUISME

Le travail peut être considéré comme un moyen de rendre service aux autres et de se sentir utile dans son milieu social.

9. L'ENVIRONNEMENT PHYSIQUE AGRÉABLE

Le travail, pour être satisfaisant, doit se faire dans des conditions agréables et surtout ne comporter aucun risque pour la santé.

10. LA COLLABORATION

Le travail donne l'occasion de rencontrer des gens avec qui l'on s'entend bien, que l'on apprend à connaître et à apprécier.

11. L'INDÉPENDANCE

Le travail doit permettre d'agir avec autonomie, de faire à sa manière et d'être soi-même.

12. LA RÉALISATION DE SOI

Le travail peut permettre de développer ses habiletés et d'exercer ses compétences.

Nos projets d'avenir – Livret de l'élève, 3e collège ; EAP.

b. Simplifiez ce texte. Présentez les douze avantages sous la forme d'une liste en douze points.

Les douze avantages du travail :

1. diriger, planifier,

2. créer,

3. …

c. Relevez toutes les expressions de la conséquence.

« Donner l'occasion de… », etc.

d. Indiquez (par leur numéro) les avantages qu'apportent les professions suivantes :

– facteur en milieu rural

– homme politique

– infirmière

– dessinateur graphiste indépendant

– enseignant

– chef d'entreprise

– journaliste

e. Quelles sont les professions qui, d'après vous, apportent le plus d'avantages ? Quelles sont celles qui en apportent le moins ?

f. Quels sont les avantages que vous apporte votre profession ? La profession que vous aimeriez (ou que vous auriez aimé) exercer ?

GRAMMAIRE

4 Emploi des articles définis et indéfinis

a. L'opposition entre la vision indéfinie (*un*, *une*, *des*)
et la vision définie (*le*, *la*, *les*). Complétez avec un article.

Dans une boutique de vêtements.

LA VENDEUSE : Vous désirez ?

LA CLIENTE : … jupe dans les tons beiges.

LA VENDEUSE : Comme … jupe qui est
dans … vitrine ?

LA CLIENTE : Non, je préférerais … couleur
plus foncée.

Nouvelles du cinéma.

… réalisateur Claude Sautet vient de faire …
nouveau film, *Nelly et Monsieur Arnaud.* C'est
… histoire d' … jeune femme dynamique qui
rencontre dans … café … homme riche et à la
retraite. … vieux retraité est en train d'écrire …
livre et va proposer à … jeune femme de travailler
pour lui.

b. L'opposition entre la vision générale et la vision particulière.
Complétez avec un article défini ou indéfini. (Il peut y avoir plusieurs
possibilités.)

• Tous les matins, au réveil, je bois … bon café.

… café de Colombie est excellent.

… café est un stimulant pour … mémoire.

• … loup est un animal que l'on voit rarement en France.

En se promenant dans les Vosges, ils ont vu … loup.

Faites attention ! … loup peut être dangereux.

• Il y a une fuite d'eau dans ma salle de bains, je dois appeler …
plombier.

Il est toujours difficile en France d'avoir rapidement un rendez-vous
avec … plombier.

5 Cas de suppression de l'article

Lisez le tableau. Complétez le texte (quand c'est nécessaire)
avec un article ou avec la préposition *de*.

L'article est supprimé dans les cas suivants :
Des devant adjectif + nom devient *de*.
   Il a *de* beaux livres dans sa bibliothèque.
Sauf quand *des* = *de* + *les*
   La veille du 14 Juillet est le jour *des* grands départs
   en vacances.

Après « sans » ou « avec » sauf quand le nom est déterminé.
   Il a pris sa décision sans enthousiasme.
   Elle a pris sa décision avec *un* enthousiasme qui faisait
   plaisir à voir.

Quand le nom devient adjectif.
   Il est médecin.

Les articles indéfinis et partitifs deviennent *de* après une
négation.
   Je n'ai pas *de* dictionnaire.
Sauf après « ce n'est pas… » , « ce ne sont pas… »
   Non, ce n'est pas un bon film.
Quand il y a une idée d'opposition.
   Au petit déjeuner il ne mange pas *des* céréales. Il mange
   des tartines beurrées.
Quand on veut insister sur l'idée d'un(e) seul(e).
   À la réunion, il n'y avait pas *une* femme.
Dans certaines constructions après la préposition *de*.
   Un collier *de* perles.
   Elle est passionnée *de* cinéma.
   Ils ont parlé *de* politique.

Un journaliste écrit à des amis.

Chers amis,

Depuis deux mois, je suis installé dans les Ardennes, dans une maison … campagne que … amis m'ont prêtée.

Je travaille. Je n'écris pas … articles mais je fais un livre sur l'histoire de la région.

La région est belle. Ce n'est pas … endroit très fréquenté en ce moment. Il n'y a pas … touristes. C'est la fin … tristes journées d'hiver et nous commençons à avoir … belles journées ensoleillées.

Est-ce que vous seriez libres les 15 et 16 avril pour venir passer le week-end ? Je vous recevrai avec … plaisir. On pourrait faire … grandes promenades dans les forêts … sapins.

Vous pourriez aussi rencontrer mon amie Jane. C'est … Anglaise qui est passionnée de … littérature et … poésie française. Elle est … comédienne. Elle est très différente de Marie-Sophie, mon ancienne amie. Ce n'est pas … fille snob. Elle connaît des tas d'histoires sur le milieu du théâtre et du cinéma qu'elle raconte avec … accent très britannique (…).

6 L'appréciation des quantités

Complétez avec les expressions de la liste.

Depuis vingt ans, Michel s'occupe d'un petit cinéma de province qui présente des films d'auteurs. Un journaliste l'interroge.

LE JOURNALISTE : Il y avait combien de personnes hier à la projection du film de Christine Pascal. Une vingtaine ?

MICHEL : Oh …! Il y avait … cinquante personnes.

LE JOURNALISTE : C'est bien. Ça prouve que les gens vont … au cinéma.

MICHEL : Oui, la tendance s'est inversée. Dans les années 80, ils y allaient … . Je me souviens de certaines séances en semaine où il y avait … dix personnes.

LE JOURNALISTE : Et vous faites payer la séance combien ? … 5 €, je suppose.

MICHEL : Oui … 5 €. Ça dépend de la formule. Nous proposons une carte pour 10 séances qui coûte 45 €, un abonnement annuel qui vous fait la séance à 3 €, etc.

- au moins
- au plus
- plus ou moins
- de plus en plus
- de moins en moins
- beaucoup plus

7 Les comparatifs appréciatifs

Réécrivez les textes suivants en utilisant :

> *tant (tellement)* + verbe + *que…*
>
> *si (tellement)* + adjectif ou adverbe + *que…*
>
> *tant de (tellement de)* + nom + *que…*

Exemple : a. « Il y avait tellement de moustiques qu'on ne dormait pas la nuit. »

a. *Il raconte son voyage dans un pays tropical.*

- Il y avait beaucoup de moustiques. On ne dormait pas la nuit.
- Il faisait très chaud en milieu de journée. L'après-midi on ne sortait pas avant 16 heures.
- On transpirait beaucoup. Je changeais de chemise trois fois par jour.

b. *Elle parle de son chef de service.*

- Il donne beaucoup de directives contradictoires. Plus personne ne l'écoute.
- Quand il se met en colère, il crie très fort. On l'entend à l'autre bout du couloir.

ÉCRITS ET ÉCRITURES

8 Rechercher les idées principales d'un texte

Lisez le texte de la page 111, paragraphe par paragraphe, à l'aide
de la colonne « Aide à la lecture ». Répondez par une phrase
aux questions de la colonne « Recherche des idées ».

	AIDE À LA LECTURE	RECHERCHE DES IDÉES
Le titre		– Quelle idée principale s'attend-on à voir développée dans cet article ? – Pouvez-vous imaginer certains points de ce développement avant de lire l'article ?
1er paragraphe	*Bac + 4 :* 4 années d'études après le baccalauréat. *Absorber :* ici, « employer », « recruter ». *Cadre :* catégorie supérieure des salariés d'une entreprise. *Contrat emploi solidarité (CES) :* emploi financé par l'État (pour les jeunes qui ne trouvent pas d'emploi ou les chômeurs). *Aigri :* malheureux et dégoûté.	– Quelles constatations fait l'auteur en analysant les chiffres ? – Quelle fausse idée a-t-on des besoins de la société en matière d'emploi ?
2e paragraphe	*XVIe arrondissement :* quartier riche de Paris. *Se caser :* ici, trouver un emploi permanent. *Machin :* ici, « une personne ». *X :* l'École polytechnique (une grande école). *HEC :* l'École des hautes études commerciales (autre grande école). *Système mafieux :* système semblable à celui d'une mafia. Ceux qui font partie du système sont avantagés. *Le comble :* ce qui paraît incroyable. *Se jeter à l'eau :* prendre des risques.	– Quelle constatation logique fait l'auteur à propos de la valeur des diplômes ? – Quelles sont les deux catégories de personnes qui échappent à cette logique ? Pourquoi y échappent-elles ?
3e paragraphe	*Terminale :* classe de préparation au bac. *Recruter :* engager. *Un rayon :* dans un supermarché, il y a le rayon des vêtements, le rayon des fruits et légumes, etc.	– Quelle est la mentalité qui est critiquée dans ce paragraphe ?
4e paragraphe	*CAP :* certificat d'aptitude professionnelle. *Tâter :* essayer. *Instaurer :* installer, mettre en place. *Insertion :* entrée dans la vie professionnelle. *DEA :* diplôme universitaire qu'on passe après la licence.	– Qu'est-ce qui est important pour trouver un emploi ? – Quelles réformes l'auteur propose-t-il ?

9 Résumer les idées principales d'un texte

En utilisant les informations que vous avez relevées à partir des questions de la colonne « Recherche des idées », présentez brièvement les idées exposées par Michel Godet dans l'article ci-dessous.

CHÔMAGE

L'école mise en accusation

Le système éducatif a sa part de responsabilité face au chômage car il est conçu pour fabriquer des champions olympiques. La course aux diplômes en est le meilleur symbole : 160 000 titulaires de bac + 4 sortent chaque année de l'enseignement supérieur contre 80 000 voilà quinze ans. Le marché de l'emploi n'en absorbe que 60 000. On nous fait croire que demain, il faudra encore plus de cadres alors que la tendance dans les entreprises est à la diminution du nombre de niveaux hiérarchiques. Je rencontre des bac + 4 obligés de prendre un Contrat emploi solidarité ! Nous courons vers une véritable catastrophe nationale avec un système éducatif qui fabrique des aigris, des gens qui ne se sentent pas bien dans leur job.

La valeur des diplômes ne peut que baisser puisque leur nombre augmente. Socialement, c'est totalement injuste. La dévaluation ne concernera pas les jeunes du XVIe arrondissement qui, par relation, trouveront toujours à se caser. En France, le diplôme a une valeur trop importante. Trente ans après, on dit « machin est un ancien X ou un ancien HEC ». Mais qu'a-t-il fait depuis ? C'est un véritable système mafieux. Le comble, c'est que ce sont les mieux entraînés qui ne prennent pas de risques. Ainsi, les créateurs d'entreprise sont souvent ceux qui n'ont aucun diplôme et pas d'autre espoir. Ils se jettent à l'eau sans savoir nager.

Le système éducatif commet une grave erreur. Il n'apprend pas ce qu'est le monde de l'entreprise. Normal, les enseignants ne sortent jamais de leurs écoles. Une véritable culture du mépris existe dans nos lycées et collèges. Les élèves de l'enseignement général regardent de haut ceux des lycées d'enseignement professionnel, idem pour les terminales scientifiques envers les littéraires. Arrêtons. Aujourd'hui, il y a surabondance de diplômés et pénurie de professionnels. Chez Auchan par exemple, ils recrutent des bac + 4 pour devenir chef de rayon. Des gens payés 7 000 francs[1] après six mois de formation (…).

De plus en plus, on jugera les jeunes sur leurs compétences réelles, éprouvées sur le terrain. Aujourd'hui, il faut leur dire : essayez de vous différencier. Passe ton CAP d'abord et apprends un métier comme en Allemagne. Là-bas, comme aux États-Unis ou en Suède, les études supérieures sont payantes. Ce qui permet d'avoir un enseignement de meilleure qualité. Ce qui oblige aussi les jeunes à travailler avant et à tâter de différents métiers. Pourquoi ne pas instaurer un système similaire en France avec des bourses pour les plus défavorisés et des bourses d'insertion professionnelle ? Au lieu de vous payer pour passer un DEA, on vous permet de travailler en entreprise. Car aujourd'hui, une année d'expérience professionnelle vaut mieux qu'un nouveau diplôme. ■

1. 1 067,14 €.

Michel Godet, *Talents*, décembre 1994.

Leçon **17**

VOCABULAIRE

1 Les innovations

Présentez ces trois innovations d'une manière synthétique en utilisant
la grille suivante. Rédigez votre présentation sous forme de notes comme
dans l'exemple.

1.

• Nom de l'innovation et domaine de recherche.	Bouteille en plastique (vie quotidienne)
• Quelles sont les raisons qui ont conduit à cette innovation ?	Encombrement des bouteilles en plastique traditionnelles.
• Qui fabrique ce nouveau produit ?	…
• En quoi consiste cette innovation ?	…

①

②

C'est à Évian que l'on doit la première bouteille d'eau minérale en plastique qui, une fois vide, peut être compactée facilement par l'usager : on enlève le bouchon, on presse, on rebouchonne. Et voilà ! Plus de poubelles encombrées. Cette innovation est issue d'une technique brevetée par Évian : le système de Réduction des emballages par compression (REC). En plus, la bouteille est plus belle. Le plastique choisi est aussi transparent que le verre. Et la bouteille est même sculptée !

On sait que l'espace est constellé de débris (7 000 objets de tous genres : boulons, fragments de fusées ou de satellites, satellites sortis de leur orbite de travail et désormais inutilisés, etc.) qui représentent un réel danger pour les autres satellites et les stations orbitales. C'est pourquoi l'agence spatiale japonaise NASDA projette de lancer un satellite « aspirateur » dans le but de nettoyer l'espace. Elle compte sur la coopération des agences européennes et américaines (ESA et NASA) pour mener à bien cette mission.

③

Dicter son courrier à un ordinateur et le retrouver mis en page et imprimé quelques secondes plus tard n'est plus un rêve. Le système Tangora d'IBM, commercialisé sous le nom ISSS (IBM Speach Server Series), est ainsi capable de reconnaître n'importe quel mot parmi les 24 000 que comporte son dictionnaire. L'utilisateur doit tout d'abord « enseigner » à l'ordinateur sa prononciation en y enregistrant une centaine de phrases. Dès lors, la machine est capable de distinguer la plupart des homophones, en appliquant, seule, les règles grammaticales de la langue dans laquelle il « travaille ».

Le Livre mondial des inventions, 1996.

2 Invention et création – De l'idée à la réalisation

Quatre personnes racontent les différentes étapes de leur création ou de leur invention.

a. Quel(s) verbe(s) vont-elles utiliser pour décrire chacune de ces étapes.

Complétez le tableau ci-dessous avec les verbes ci-contre.

b. Choisissez une situation et rédigez le récit de l'inventeur ou du créateur.

Exemple : « Quand on m'a proposé la construction de ce centre culturel, j'ai eu l'idée de lui donner la forme d'un livre ouvert... »

■ avoir l'idée de... ■ assembler ■ concevoir ■ confectionner ■ construire ■ corriger ■ essayer ■ fabriquer ■ faire des essais ■ faire... un brouillon, une maquette, un prototype, un plan ■ imaginer ■ mettre au point (faire la mise au point) ■ prendre des notes ■ réaliser les finitions ■ rédiger ■ retoucher (faire des retouches)

	L'architecte	L'ingénieur	La styliste	L'écrivain
	 Il présente un nouveau centre culturel.	 Il présente un moteur non polluant.	 Elle présente un nouveau style de robe.	 Elle parle de son dernier roman.
L'idée				
Les premières étapes de la réalisation				
La réalisation				
L'amélioration				

3 Les suffixes *-tion, -age, -ure*

Ils permettent de construire un nom à partir d'un verbe. Ce nom exprime une action ou un état.

Réécrivez les phrases suivantes en transformant les verbes en noms comme dans l'exemple.

Exemple : « 1980 : Conception de la navette spatiale... »

• **Construction de la navette spatiale.**

1980 : on conçoit la navette et on planifie sa réalisation – 1981 à 1983 : on construit la navette.

• **Départ des cosmonautes.**

8 heures : la porte de la navette s'ouvre. Les cosmonautes entrent. La porte se referme. Les cosmonautes s'installent. – 8 h 15 : on allume les moteurs. Les moteurs démarrent. 8 h 16 : la fusée décolle. – 8 h 18 : on corrige la trajectoire.

• **Accident au retour.**

20 h 15 : la navette va atterrir. – 20 h 16 : un circuit électrique est coupé. Le système de freinage est bloqué. Un cosmonaute est blessé. Un autre a le bras cassé. Un troisième est légèrement brûlé

GRAMMAIRE

4 La conjugaison du passé simple

a. Observez les quatre types de conjugaison du passé simple.

Conjugaison en [a]	Conjugaison en [y]	Conjugaison en [i]	Conjugaison en [ɛ̃]
Parler	*Vouloir*	*Finir*	*Venir*
je parlai	je voulus	je finis	je vins
tu parlas	tu voulus	tu finis	tu vins
il/elle parla	il/elle voulut	il/elle finit	il/elle vint
nous parlâmes	nous voulûmes	nous finîmes	nous vînmes
vous parlâtes	vous voulûtes	vous finîtes	vous vîntes
ils/elles parlèrent	ils/elles voulurent	ils/elles finirent	ils/elles vinrent
Cas de tous les verbes en *-er*, y compris *aller*.	Cas de *être* (je fus), *avoir* (j'eus), *savoir* (je sus), *lire* (je lus), *croire* (je crus), *vivre* (je vécus), etc.	Cas de *partir* (je partis), *faire* (je fis), *voir* (je vis), *prendre* (je pris), *mettre* (je mis), *écrire* (j'écrivis).	Cas de tous les verbes en *-enir* (*tenir*, *devenir*, etc.).

Quelles sont les régularités que l'on peut trouver :

– dans les quatre types de conjugaison ?

– dans les trois derniers types ?

Quelles sont les formes qu'on risque de confondre (à l'écrit ou à l'oral) avec :

– le présent   – l'imparfait   – le participe passé

b. Voici des phrases que l'on pourrait trouver dans des lettres écrites au XIXᵉ siècle. Mettez les verbes entre parenthèses au passé simple.

– Le 3 janvier, vers 5 heures, Jacques (*avoir*) une forte fièvre. Je (*partir*) avec Denis chercher un médecin. Quand nous (*arriver*) une heure plus tard, je (*remarquer*) que Jacques allait mieux.

– En mai, je (*recevoir*) une invitation d'Antoine Dupré. J'y (*aller*). On me (*faire*) entrer dans un grand salon. Antoine Dupré m'(*accueillir*) et me (*présenter*) à ses amis. Je me (*trouver*) bientôt dans un groupe qui critiquait la politique de l'empereur. Ils en (*parler*) toute la soirée. Je crois bien que je ne (*dire*) pas un mot, jusqu'au moment où Florence (*arriver*).

5 Les emplois du passé simple

a. Lisez les quatre textes de la page 115. Retrouvez quatre types d'écrits où l'on emploie aujourd'hui le passé simple.

– Le récit littéraire

– Le conte pour enfants

– Le récit d'événements dans la presse

– Les textes à caractère historique ou documentaire

b. Relevez les verbes au passé simple.
Mettez-les à la personne correspondante du passé composé.

Exemple : un vieil homme appela → a appelé.

c. Donnez un titre à chaque texte.

① Sur le point de mourir, un vieil homme appela ses trois fils et leur dit :

– Je ne peux pas diviser en trois ce que je possède. Cela laisserait trop peu de bien à chacun de vous. J'ai décidé de léguer[1] tout ce que j'ai à celui qui se montrera le plus habile, le plus intelligent. Voici : je pose sur la table une pièce de monnaie pour chacun de vous. Prenez-la. Celui qui, avec cette pièce, achètera de quoi remplir la case[2], aura tout mon bien.

Ils partirent. Le premier fils acheta de la paille, mais il ne parvint à remplir la case que jusqu'à mi-hauteur. Le deuxième fils acheta des sacs de plumes mais il ne réussit pas davantage à remplir la case.

Le troisième fils – qui eut l'héritage – n'acheta qu'un seul petit objet. C'était une bougie[3]. Il attendit la nuit, alluma la bougie, et emplit la case de lumière.

Jean-Claude Carrière, *Almanach des sciences*, 1994.

1. Léguer : donner en héritage.
2. Case : maison africaine.
3. Bougie : une chandelle. Avant l'électricité, on utilisait des bougies pour s'éclairer.

② Remarquée pour ses apparitions dans la série « Vegas », Tanya Roberts fut choisie par le producteur des « Drôles de dames » pour remplacer Shelley Hack. Et devint vedette du jour au lendemain. Un succès éphémère[1] : un an après son arrivée, la série était abandonnée.

[…] Son mari la consola et l'aida à poursuivre sa carrière au cinéma. Ce qui lui valut de devenir, dans « Sheena », tourné en Afrique, la première femme Tarzan de l'écran.

Télé Star, 28 novembre 1994.

1. Éphémère : de courte durée.

③ Quand les Stralkes entrèrent pour la première fois en contact avec notre monde, ils débarquèrent en Afrique, en pleine brousse[1], à proximité d'un village zoulou[2]. Ils prirent des notes, déduisirent des lois générales et, un an plus tard, ils envahirent la Terre dans le but de l'annexer[3].

Ils s'étaient noirci la peau, ils avaient bariolé[4] leur corps de peinture, ils s'étaient armés de lance-pierres et d'arcs.

Mais, cette fois, ils débarquèrent aux États-Unis, entre Boston et Chicago.

Jacques Sternberg, *Entre deux mondes incertains*, Denoël, 1985.

1. Brousse : la campagne en Afrique.
2. Les Zoulous : peuple du sud de l'Afrique.
3. Annexer : prendre possession.
4. Barioler : peindre avec des couleurs et des formes variées.

④ La grotte de Lascaux se place au premier rang des sites préhistoriques de l'Europe pour le nombre et la qualité de ses peintures. C'est à quatre jeunes gens partis le 12 décembre 1940, à la recherche de leur chien disparu dans un trou que l'on doit sa découverte. À l'aide d'un éclairage de fortune[1], ils aperçurent sur les parois de la galerie où ils s'étaient introduits une extraordinaire fresque de peintures polychromes. L'instituteur de Montignac, averti de cette découverte, alerta aussitôt l'abbé Breuil qui vint sur place et fit une étude minutieuse des peintures de cette grotte qu'il considérait comme la « chapelle Sixtine » de la préhistoire.

Le Guide vert du Périgord, Michelin et Cie, 1970.

1. Éclairage de fortune : un éclairage qu'ils n'avaient pas préparé (des allumettes, un briquet, etc.).

ÉCRITS ET ÉCRITURES

6 Lire des informations scientifiques

a. Lisez les deux textes ci-dessous. Trouvez les mots qui correspondent aux définitions suivantes (au fur et à mesure de votre lecture).

Texte 1. ■ une tromperie ■ annoncer ■ enfermer ■ construction en verre pour les cultures en hiver ■ une copie ■ intéressant et enthousiasmant ■ devenir ridicule (et non scientifique) ■ remédier, apporter une solution à un problème ■ gaz carbonique.

Texte 2. ■ ne vivant pas sur Terre ■ mesure des distances entre les étoiles ■ quand un État emprunte les biens de quelqu'un pour une raison importante.

b. Reportez dans le tableau les principales informations données dans ces textes.

	But(s) de l'expérience	Organisation de l'expérience lieu, matériel, organisation	Résultats de l'expérience Succès/échec (causes de l'échec)
Texte 1	...	...	...
	...	...	...

Leur mission de vivre en autarcie a tourné court.

Biosphère 2, la grande arnaque !

Annoncée comme la démonstration scientifique qui préfigurait la vie de l'homme dans l'espace, cette expérience consiste à cloîtrer pendant deux ans quatre hommes et quatre femmes dans une gigantesque serre en Arizona. Avec ses 200 000 m³, celle-ci est une réplique miniature de la Terre avec forêt tropicale, océan, désert et 3 800 espèces végétales et animales. Plutôt alléchante sur le plan scientifique, cette réalisation tourna bien vite à la farce : réserves de nourritures cachées, réinjection d'air pour pallier l'augmentation dramatique de CO_2 et même sortie d'une des biosphériennes pour l'hôpital voisin ! Aujourd'hui, des chercheurs des universités de Columbia et de Harvard l'utilisent pour étudier les changements climatiques. Mais plus question de s'y enfermer !

Ça m'intéresse, mars 1996.

Extraterrestres sur écoute

Search for extraterrestre intelligence (Seti) : tel est le nom du programme radioastronomique d'écoute d'éventuels signaux extraterrestres lancé par la NASA pour 10 ans. But : mettre sur table d'écoute 1 000 étoiles situées à moins de 100 années-lumière. Ainsi, les plus grands radiotéléscopes, dont celui d'Arecibo (Porto-Rico), ont été réquisitionnés. Si, en 1993, Seti est abandonné faute de moyens, il reste la preuve qu'aucun scientifique ne croit plus que l'homme est la seule intelligence du cosmos. Depuis, des recherches, financées par le privé, ont repris en Australie.

Ça m'intéresse, mars 1996.

7 Faire le récit d'une expérience

Dans nos vies professionnelle, quotidienne, sportive, amoureuse, nous sommes amenés à faire des expériences. Nous aimons bien aussi raconter ces expériences à nos amis.

En suivant les étapes ci-dessous, faites le récit d'une de ces expériences.

1. **Choisissez le sujet de votre récit.**

   • Expérience professionnelle : vous avez essayé une nouvelle méthode de travail, une nouvelle organisation, un nouvel emploi du temps, etc.

   • Expérience quotidienne : vous avez essayé une nouvelle machine, vous avez essayé de maigrir, vous avez essayé d'apprendre à jouer d'un instrument de musique, etc.

   • Expérience sportive : vous avez essayé de faire du saut à l'élastique, etc.

   • Expérience sociale : vous avez invité pour la première fois de nouveaux collègues.

   Etc.

2. **Préparez et rédigez votre récit selon le déroulement suivant.**

   a. **Présentez les raisons pour lesquelles vous entreprenez cette expérience.**

   b. **Présentez le début de votre expérience : les circonstances, ce qui s'est passé avant.**

> Un jour, j'ai décidé de faire du tennis. J'avais pris un peu de poids. Ma femme et mes amis me disaient que je devais faire du sport…

> Un matin, je suis arrivé sur le court. J'avais réservé un court très tôt pour qu'il n'y ait personne. J'avais peur d'être ridicule. J'avais acheté tout l'équipement. J'avais pris rendez-vous avec le meilleur moniteur…

   c. **Racontez le déroulement de votre expérience : les tentatives (*essayer de…*, *tenter de…*, *s'efforcer de…*), les échecs, les réussites.**

   Parlez des difficultés, des obstacles que vous avez rencontrés.

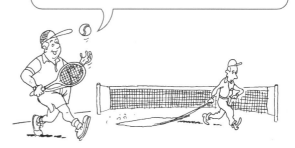

   d. **Faites le bilan de votre expérience.**

> Des jeunes sont venus me regarder jouer et n'ont pas arrêté de se moquer de moi.

> Le moniteur n'est pas venu le premier jour.

> Un orage a éclaté.

> Ce fut un échec total. Je n'ai plus jamais touché une raquette de tennis (la mienne, je l'ai brûlée). Quand il y a un match de tennis à la télé, je zappe.

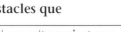

VOCABULAIRE

1 La justice

a. Lisez ces trois articles.

25 ans pour une pizza...

Jerry Dewayne Williams, un jeune magasinier de 27 ans, a été condamné à 25 ans de prison pour avoir volé un morceau de pizza à des adolescents attablés dans un restaurant de Redondo Beach, en Californie. En fait, il avait, d'une part, déjà par deux fois, été inculpé pour le même motif ; d'autre part, la juridiction californienne est très ferme et très claire : au troisième délit qualifié, le prévenu encourt une peine allant de 25 ans à la perpétuité !

Riche... ou... pauvre ?

C'est afin de bénéficier d'une couverture sociale qu'en décembre 1991 un couple nantais avait fait une demande de RMI (Revenu minimum d'insertion). Celle-ci leur avait été accordée pendant près d'un an, malgré le patrimoine du couple estimé à 10 millions de francs[1], ce qui leur assurait un revenu annuel de 500 000 francs[2]. Le mardi 7 mars dernier, le tribunal correctionnel de Nantes saisi par le Trésor public les a condamnés à rembourser les 35 195 francs[3] perçus au RMI, et à verser une amende de 80 000 francs[4] !

Qui dort tue...

Durant son sommeil, un homme a poignardé sa belle-mère et blessé son beau-père après avoir parcouru les 25 kilomètres qui séparent son domicile du foyer de ses beaux-parents. Les médecins des tribunaux ainsi que le jury ont accepté la thèse du somnambulisme présentée par la défense ! Considéré comme non responsable de ses actes, le prévenu a donc été acquitté.

1. 1 524 490 € - **2.** 76 224 € - **3.** 5 975 € - **4.** 12 195 €.

Ces chiffres sont arrondis, sans les centimes.

Tous témoins, mai 1995.

b. Trouvez les mots qui ont la signification suivante :

- • Texte 1
  - – personne accusée mais qui n'a pas encore été jugée (2 mots)
  - – cour de justice
  - – risquer
  - – peine de prison à durée illimitée

- • Texte 2
  - – Sécurité sociale
  - – ensemble des biens (argent, propriétés) d'une personne
  - – qui a reçu une plainte
  - – reçu, encaissé (argent)

- • Texte 3
  - – tuer à coup de couteau (poignard)
  - – ne pas être condamné après un procès

c. Dégagez les informations essentielles en complétant le tableau.

Informations sur le coupable	Informations sur le délit (lieu – type – etc.)	Les circonstances aggravantes ou atténuantes	Le jugement et la peine
J.D. Williams, 27 ans, magasinier	...	...	...

2 Du délit à la peine

Avec les éléments du tableau, reconstituez la chronologie de ce qui se passe entre le moment où quelqu'un commet un délit et le moment où il est mis en prison.

1. Un délinquant commet un délit
2. …
3. …

Les acteurs	Les actions
le coupable	commettre un délit
le déliquant	condamner…
le juge d'instruction	inculper…
	instruire une affaire…
la police	interroger…
les suspects	juger…
le tribunal	mettre en prison
la victime	ouvrir une enquête
	porter plainte
	rechercher des indices
	trouver…

3 Dire

Complétez avec les verbes de la liste au passé composé.

– À l'occasion du 1er janvier, le président … un discours à la télévision. Il … ses vœux de bonne année. Il … de bonnes nouvelles pour l'avenir (diminution des impôts, réduction du chômage, etc.). Puis, il … l'attitude de l'opposition qui critique systématiquement tout ce que fait le gouvernement.

– Le président de l'association pour la protection des monuments historiques … la séance ouverte. Pour les nouveaux membres, il … les buts de l'association. Ensuite, il … plus particulièrement la question de la gestion de l'association et il … que des erreurs avaient été commises dans le passé.

– Ta conférence sur l'éducation était excellente. Mais tu as … des mots trop techniques. Si tu veux que tout le monde te comprenne, il faut … ça d'une manière plus simple.

- annoncer
- avouer
- déclarer
- dénoncer
- développer
- exposer
- présenter
- prononcer
- formuler

4 Les phrases d'enchaînement dans un exposé

Voici des débuts de phrases extraits de l'exposé d'un conférencier. Retrouvez dans la colonne de gauche à quel moment de l'exposé elles appartiennent.

Exemple : c → 1

a. Ce que je veux dire, c'est que…
b. On peut trouver de nombreux cas de…
c. L'objet de cet exposé est de…
d. Cela m'amène à vous parler de…
e. Je passerai rapidement sur…
f. Autrement dit…
g. Non seulement… mais aussi… Et de plus…
h. Pour me faire bien comprendre, je vais…
i. Pour me résumer , je dirai que…
j. J'ouvre une parenthèse pour dire que…
k. En somme

Le conférencier…

1. commence son exposé
2. va donner une explication
3. va donner des exemples
4. va aborder une autre partie de l'exposé
5. est en train de donner des arguments
6. va aborder un point moins important ou en dehors du sujet
7. va terminer son exposé

GRAMMAIRE

5 Mise en valeur de l'action

Reformulez chacun des groupes suivants en une seule phrase.
Commencez la phrase par l'action exprimée par le verbe en italique et
utilisez le verbe entre parenthèses.

Exemple : a. « Les inondations de Bretagne ont causé de nombreux dégâts. »

Nouvelles de 1995.

a. La Bretagne *a été inondée*. Il y a eu de nombreux dégâts. (causer).

b. Une conduite de gaz *a explosé* en Corée du Sud : 100 morts. (faire).

c. La France *a repris* ses essais nucléaires. Nombreuses critiques à l'étranger.
(provoquer).

d. Les œuvres du peintre Cézanne *ont été exposées* au Grand-Palais.
Nombreux visiteurs. (attirer).

e. La chanteuse Enzo Enzo *a remporté* les 10ᵉ Victoires de la musique.
Ses ventes de disques ont augmenté. (entraîner).

f. L'équipe de France de rugby *a perdu* face à l'Écosse. Les supporters ont été
déçus. (décevoir).

6 Mise en valeur de la qualité

Combinez les deux phrases. Mettez en début de phrase l'idée exprimée par
le mot souligné.

Exemple : a. « Le courage du sportif a été applaudi par le public. »

a. Le sportif a été courageux. Le public l'a applaudi.

b. Son discours a été trop long. Je me suis ennuyé.

c. Le spectacle de cet humoriste est vulgaire. Le public a été choqué.

d. La maladie de Michel est grave. Cela m'inquiète.

e. Le décor de la pièce est très beau. Cela a été apprécié par la critique.

f. Christine est compétente. Cela est reconnu par tout le monde.

7 L'enchaînement des phrases

Complétez la deuxième phrase comme dans l'exemple.

Exemple : a. « Les Espagnols ont voté le 28 mai 1995. Le vote (l'élection) n'a
pas été favorable au parti socialiste. »

a. Les Espagnols ont voté le 28 mai 1995.
... n'a pas été favorable au parti socialiste.

b. En avril 1995, un tombeau royal a été découvert à Louxor (Égypte).
... est la plus importante depuis celle du tombeau de Toutankhamon.

c. En 1996, les films français ont été plus nombreux que les films américains
au Festival de Cannes.
... est le signe d'une reprise du cinéma français.

d. Le prix de l'essence a augmenté.
... a mécontenté les entreprises.

e. Un grand parc de loisirs a été créé à Port-Aventura (Catalogne).
... va concurrencer le parc Euro Disney installé en France.

8 L'expression de l'opposition avec *bien que* + subjonctif

Reliez les phrases de chaque groupe en utilisant *bien que*.

Exemple : a. « Bien que la météo annonce du mauvais temps et que le ciel soit couvert, les promeneurs sont partis en montagne. »

a. La météo annonce du mauvais temps. Le ciel est couvert. Les promeneurs sont partis en montagne.

b. J'ai de la fièvre. Je suis fatigué. Je vais travailler.

c. Le petit Damien fait ses devoirs de français, il apprend ses leçons de grammaire, il sait par cœur ses conjugaisons. Mais il fait des fautes d'orthographe.

d. Nous n'aimons pas les romans de Marguerite Duras. Nous devons les lire parce qu'ils sont au programme.

9 Les différents moyens d'exprimer l'opposition

Reliez les phrases de chaque groupe en utilisant l'expression de l'opposition appropriée.

Un enfant surdoué.

– En classe, Blandine est toujours distraite. Elle comprend toutes les explications.

– On ne la voit jamais travailler. Elle sait toujours ses leçons.

– Elle joue dans la cour de récréation. Elle n'a pas de vraies amies.

– Elle n'est pas timide. Elle parle peu.

– L'instituteur lui interdit de se lever pendant la classe. Elle se lève et se promène dans les rangs.

– On lui donne un travail. Elle en fait un autre.

- au lieu de...
- bien que...
- malgré (+ nom)...
- pourtant...
- quand même

Un drôle de personnage.

– Eric est un solitaire. Il a choisi un métier de relations plubliques.

– Il se met souvent en colère. Il peut être charmant avec vous.

– Il critique sans cesse ses collègues. Il les défend devant le directeur général.

– Il n'est pas diplômé. Il est très compétent.

– On lui dit de ne pas venir au bureau pendant le week-end. Il vient au bureau pendant le week-end.

– Il n'a confiance en personne. Il vous prête de l'argent si vous lui en demandez.

- bien que
- d'un coté... de l'autre...
- en revanche
- pourtant
- quand même

ÉCRITS ET ÉCRITURES

10 Analyser un raisonnement

AMOUR DES ANIMAUX OU HAINE DES HOMMES ?

La France, dit-on, détient le record d'Europe pour la possession d'animaux domestiques. Presque 60 % des familles possèdent un chien, un chat, un oiseau ou un poisson rouge. La population animale qui nous côtoie s'élèverait à 25 millions de sujets.

Certes, la présence de ces petites bêtes, en particulier dans les villes, entraîne quelques désagréments : depuis le trottoir sur lequel il faut slalomer jusqu'aux aboiements nocturnes du chien du voisin. Mais jusqu'à présent, ces nuisances restaient tolérables. On pardonnait au chien puisque, somme toute, ce n'était qu'un chien. Dans notre vision du monde, l'animal avait une place bien définie quelque part entre l'homme et les plantes. L'homme restait maître du monde et de la nature, et par conséquent de son chien.

Or, cette place de l'animal dans l'échelle des êtres vivants est en train de changer.

Gérard Mermet[1] remarque que « les chats et les chiens sont parfois mieux traités que les enfants ». Les cliniques vétérinaires se multiplient et disposent d'équipements aussi sophistiqués que certains hôpitaux. Les organisations de défense des animaux sont actives et écoutées. Elles revendiquent pour l'animal des droits très proches de ceux des hommes.

Ce changement d'état d'esprit a bien entendu des conséquences positives. Militer pour que les derniers éléphants d'Afrique ne meurent pas est une action utile. S'indigner parce que certains animaux souffrent est une attitude respectable.

En revanche, quand Brigitte Bardot, dans *L'Express*, s'oppose à ce qu'un vaccin contre le sida soit testé sur des singes, quand une ligue anti-vivisection détruit un laboratoire de recherche où l'on expérimente certains produits pharmaceutiques sur des animaux et retarde, de ce fait, les travaux des chercheurs, on peut se demander si l'amour des animaux n'aveugle pas ces défenseurs de la nature.

Car de telles actions soulèvent en fait un sérieux problème philosophique et moral. « Les hommes dits civilisés de la fin du millénaire sont-ils devenus moins fréquentables que les animaux ? » s'interroge Gérard Mermet. Au nom des droits des animaux, doit-on cesser de les tuer pour se nourrir ? Doit-on ralentir les travaux de la science ? Doit-on aussi – car c'est dans la logique de la Déclaration des droits des animaux – les laisser dévaster nos récoltes et attaquer les charpentes de nos maisons ? ■ J. G.

1. Gérard Mermet, *Francoscopie*, Larousse, 1994.

a. **Analysez le raisonnement de cet article. Dans chaque paragraphe, relevez l'argument ou l'idée principale.**
Relevez les mots qui servent à construire l'enchaînement logique de ces idées. Présentez ces informations sous la forme d'un plan schématique.

Exemple :

Mots logiques	Arguments
	• Nombre important d'animaux domestiques en France
Certes →	• Les animaux causent des nuisances
Mais →	• …

b. Recherchez des exemples qui permettraient de développer les idées suivantes.

1. Les animaux (domestiques ou sauvages) causent des nuisances.

2. Les animaux sont utiles.

3. Les animaux doivent être protégés.

4. Certains animaux ne doivent pas être protégés.

11 Rédiger un raisonnement

À partir des indications suivantes, rédigez un raisonnement sur le sujet : « Faut-il supprimer la publicité à la télévision ? »

Variez les expressions de la cause, de la conséquence, de l'opposition, etc.

NB. Vous pouvez choisir un autre sujet de débat.
    Avant de commencer à rédiger, faites un plan comme ci-dessous.

Faut-il supprimer la publicité à la télévision ?

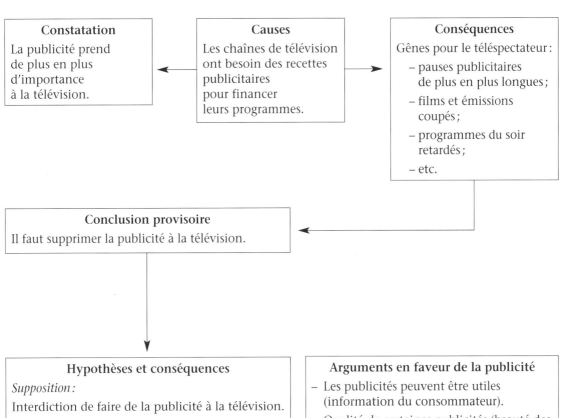

Constatation	Causes	Conséquences
La publicité prend de plus en plus d'importance à la télévision.	Les chaînes de télévision ont besoin des recettes publicitaires pour financer leurs programmes.	Gênes pour le téléspectateur : – pauses publicitaires de plus en plus longues ; – films et émissions coupés ; – programmes du soir retardés ; – etc.

Conclusion provisoire
Il faut supprimer la publicité à la télévision.

Hypothèses et conséquences
Supposition :
Interdiction de faire de la publicité à la télévision.
Conséquences :
– Pertes (manque à gagner) pour les chaînes, pour les entreprises qui présentent leurs produits (elles vendront moins), pour les agences de publicité.
– Financement des télévisions par l'impôt ou télévision payante.

Arguments en faveur de la publicité
– Les publicités peuvent être utiles (information du consommateur).
– Qualité de certaines publicités (beauté des images, humour, etc.).

Conclusion
Il faut trouver un compromis :
– limitation de la durée des pauses publicitaires ;
– aménagement des horaires ;
– exigence de qualité.

À LA DÉCOUVERTE DES FAÇONS DE DIRE

12 Langage familier, langage courant, langage soutenu

Voici le même discours en trois versions (familière, courante, soutenue).
Retrouvez les phrases qui appartiennent à chacune des trois versions.

Exemple :

Langage courant :   a. *Je voudrais m'acheter des vêtements.*

Langage familier :   b. *Je voudrais m'acheter des fringues.*

Langage soutenu :   c. *Je voudrais renouveler ma garde-robe.*

a. Je voudrais m'acheter des vêtements.
b. Je voudrais m'acheter des fringues.
c. Je voudrais renouveler ma garde-robe.

d. Mais je suis complètement fauché(e).
e. Mais je suis sans argent.
f. Mais je suis très démuni(e).

g. Je suis sans emploi.
h. Je n'ai plus de travail.
i. J'ai plus de boulot.

j. Tout cela parce que je me suis querellé avec mon supérieur.
k. Tout ça parce que j'ai eu une prise de bec avec mon patron.
l. Tout ça parce que je me suis disputé avec mon chef.

m. J'ai même dû vendre ma voiture et ma maison.
n. J'ai même dû bazarder ma bagnole et ma piaule.
o. J'ai même dû me défaire de mon véhicule et de mon logement.

Alors que faire ?

p. Taper un de mes potes ?
q. Emprunter de l'argent à un copain ?
r. Contracter un emprunt auprès d'un ami ?

13 Les euphémismes

a. Lisez l'article de la page 125.

Il existe en français l'expression *appeler un chat un chat.*
Que signifie-t-elle ? Trouvez dans le texte deux autres expressions qui ont
le même sens. Faites la liste de tous les euphémismes (manière de
s'exprimer en atténuant la réalité) répertoriés par Pierre Merle.

Exemple : Noir → Black

b. Dans la liste B, trouvez la formulation atténuée des mots de la liste A.

UN CHAT
N'EST PLUS
UN CHAT

« Les Français », a remarqué le journaliste Pierre Merle, qui est devenu l'un des spécialistes des pièges du langage, « sont devenus frileux, ils n'appellent plus un chat par son nom… », et de citer en vrac quelques exemples à l'appui de sa thèse.

Un « Noir » devient dans le langage courant un « Black », c'est moins choquant ; on ne dit pas en voyant « un nain » qu'il l'est, mais que c'est « un homme de petite taille ». On ne parle plus guère des « jeunes des banlieues dévastées », mais de la « jeunesse des quartiers sensibles ». Chacun l'a remarqué, on ne dit plus un « postier » mais un « préposé aux postes » et la « concierge » de notre jeunesse est devenue « gardienne d'immeuble ». Le franc-parler est devenu anachronique, un privilège qui se remarque immédiatement. Parler franchement, c'est prendre le risque de déplaire, et nul ne veut courir un tel risque.

C.E. Pile, Extrait du magazine *Réponse à tout*, mars 1995.

	A		B
a.	un clochard	1.	les défavorisés
b.	les pauvres	2.	un demandeur d'emploi
c.	les riches	3.	de la désinformation
d.	un chômeur	4.	les gens fortunés
e.	un pays pauvre	5.	un handicapé
f.	un infirme	6.	une longue et cruelle maladie
g.	un aveugle	7.	les personnes du troisième âge
h.	un sourd	8.	un non-voyant
i.	le cancer	9.	un pays en voie de développement
j.	un balayeur	10.	un sans domicile fixe (SDF)
k.	un mensonge	11.	un technicien de surface
l.	les vieux	12.	un malentendant

14 Le langage des journalistes

Chaque profession, chaque groupe social utilise des mots qui leur sont particuliers. Ce sont les jargons.

Dans les titres de presse suivants, trouvez quelques particularités du langage des journalistes. Traduisez-les en langage courant.

Exemple : Les forces de l'ordre → la police.

Les forces de l'ordre sont intervenues deux fois pendant la manifestation des étudiants.

Dans les négociations multilatérales entre l'Europe et les pays du Moyen-Orient, l'or noir est la partie immergée de l'iceberg.

Les syndicats ont décidé de mettre un bémol à leurs revendications.

■ En matière de chômage, on devrait s'inspirer des mesures qui ont été prises outre-Rhin.

COURS DE LA BOURSE : le billet vert remonte.

Face au projet de privatisation de la Poste, les employés lancent un cri d'alarme.

Publications des derniers chiffres du chômage : les clignotants sont au rouge.

Les indépendantistes de l'île de Beauté accepteraient de négocier avec l'Hexagone.

LES MOTS DE LA FIN

1 Les mots d'esprit

Voici des mots d'esprit, c'est-à-dire des phrases dites par des personnes qui ont de l'humour. Ils montrent les trois tendances principales de l'humour français :

a. La critique de l'individu ou du groupe social et professionnel. On se moque des défauts d'une personne ou d'un groupe.

b. Les jeux de mots. On joue sur les différents sens d'un mot, sur ses différents emplois, sur des expressions construites avec les mots, sur les sonorités des mots, etc.

c. Le sens de l'absurde.

En utilisant les informations ci-dessus, expliquez brièvement l'humour des phrases suivantes.

En hiver, on dit toujours : « Fermez la porte, il fait froid dehors ! » Mais quand la porte est fermée, il fait toujours aussi froid dehors.

Pierre Dac (humoriste)

« Tous les hommes sont comédiens, sauf quelques acteurs. »

Sacha Guitry
(auteur de pièces de théâtre et comédien)

« Les gens qui ne rient jamais ne sont pas des gens sérieux. »

Alphonse Allais (écrivain)

« L'administration est un lieu où les gens qui arrivent en retard croisent dans l'escalier ceux qui partent en avance. »

Georges Courteline (auteur de pièces de théâtre)

« Quand un philosophe vous répond, on ne comprend plus ce qu'on lui avait demandé. »

André Gide (écrivain)

« Le 1er janvier est le seul jour de l'année où les femmes oublient notre passé grâce à notre présent. »

Sacha Guitry

La seule chose qu'on puisse tenir pour certaine quand une femme vous dit : « Je suis prête dans cinq minutes », c'est qu'elle parle français.

Pierre Dac

« La mort, c'est un manque de savoir-vivre. »

Pierre Dac

« L'air est pur à la campagne parce que les paysans dorment les fenêtres fermées. »

Eugène Ionesco (écrivain dramaturge)

« Chez un homme politique, les études, c'est quatre ans de droit. Puis, toute une vie de travers. »

Coluche (humoriste et comédien)

2 Les mots historiques

Voici des phrases célèbres prononcées par des personnages historiques ou attribuées à ces personnages par l'Histoire anecdotique. Elles sont restées dans la mémoire des Français qui les emploient encore aujourd'hui.

À quelle(s) occasion(s), dans quelle(s) situation(s) pourriez-vous employer chacune des phrases suivantes ?

Paris vaut bien une messe.

(le roi Henri IV, 1593)

Pour conquérir la couronne de France, Henri IV dut se convertir au catholicisme.

J'ai failli attendre.

(le roi Louis XIV, 1680)

À Versailles, la journée du roi était réglée selon une étiquette et un emploi du temps très précis. Louis XIV aurait dit cette phrase un jour où son carrosse était arrivé avec quelques secondes de retard.

Qui m'aime, me suive !

(le roi Philippe VI, 1328)

Le roi de France voulait porter secours au comte de Flandre qui devait faire face à des révoltes dans son pays. Mais l'armée française n'était pas favorable à la guerre. Philippe VI partit seul en prononçant cette phrase célèbre et il fut suivi.

Trois siècles plus tard, le roi Henri IV encouragea ses troupes en leur criant : « Ralliez-vous à mon panache blanc ! »

Après nous le déluge !

(Madame de Pompadour, 1757)

Pendant la deuxième année de la guerre de Sept Ans (1756-1763), les armées françaises avaient subi plusieurs défaites. Par ces mots, la marquise de Pompadour voulut remonter le moral du roi Louis XV dont elle était la maîtresse.

Souvent femme varie.

(le roi François Ier, 1520)

François Ier avait connu de nombreuses aventures amoureuses et donc quelques déceptions. Il grava cette phrase sur une vitre du château de Chambord. Le compositeur Verdi l'a reprise dans un air célèbre de son opéra *Rigoletto*.

J'y suis. J'y reste.

(le général Mac-Mahon, 1855)

Au cours de la guerre de Crimée, Mac-Mahon et ses troupes avaient conquis une place forte. On l'avertit que les canons russes allaient la bombarder. Il décida de rester.

Impossible n'est pas français.

(Napoléon Ier, 1813)

Phrase écrite par Napoléon en réponse à une lettre du général Lemarois. Napoléon voulait seulement dire que son correspondant avait utilisé le mot « impossible » d'une manière incorrecte. Mais la phrase a pris, au cours de l'Histoire, un sens différent : « Pour les Français, rien n'est impossible. »

Il ne faut pas être plus royaliste que le roi.

(Chateaubriand, 1816)

Après la Révolution et l'Empire napoléonien, la monarchie fut restaurée en France. Mais il s'agissait d'une monarchie parlementaire. Or, certains voulaient restaurer une monarchie absolue. C'est à ces derniers que s'adresse Chateaubriand.

CRÉDITS PHOTOGRAPHIQUES

5 : Archives Nathan ; 10h : Coll. Cat's ; 10m : INA/Chevry ; 10b : Gamma ; 17g : Presse-Sports/Leech ; 17d : Presse-Sports/Pochat ; 19 : Gamma/Aventurier ; 23 : Sipa ; 25 : Vandystadt/Martin ; 26 : Diane Publicité ; 35 : Kipa/Meylan ; 36 : Office municipal de tourisme de Carcassonne/Cartier ; 45 : Khaïbine-Tapabor ; 51 : Coll. Cat's ; 53 : Carelman ; 57 : Coll. Cat's ; 59g : Gamma/Maous ; 59d : Gamma/Quidu ; 64h : Bulloz ; 64b : Archives Nathan ; 65 : Charmet ; 67 : Gounod ; 73h : Kipa/Pimentel ; 73b : Kipa/Baverel ; 77hg : J. Moatti ; 77hd : Sipa/Roussier ; 77b : J.-P. Tesson ; 84 : Larousse ; 97hg : Semvat ; 97hd : S.M.T.C.A.C. ; 97bg : Gamma/Reglain ; 97bd : Semitag/Guilly/Poulat ; 103 : Rapho/Niepce ; 105 : Archives Nathan ; 105d : Kipa/Rault ; 112 : Jerrican/Hanoteau ; 115 : Coll. Cat's ; 116g : Eurelios/Plailly ; 116d : Ciel et Espace/Brunier.

Édition : Marie-Christine Couet-Lannes
Illustrations : Jacques Lerouge
Maquette et mise en page : CND International

Avec la collaboration de Christine Morel

N° d'éditeur : 10113430
Imprimé en France par C.C.I.F. 18390 Saint-Germain-du-Puy
Dépôt légal : mars 2004 - N° d'imprimeur : 03/130